# A história do CINEMA
## para quem tem pressa

CELSO SABADIN

# A história do CINEMA
## para quem tem pressa

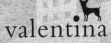

valentina

Rio de Janeiro, 2020
2ª edição

*Copyright* © 2018 *by* Celso Fabio Sabadin

CAPA
Sérgio Campante

FOTO DO AUTOR
Carolina Bressane

DIAGRAMAÇÃO
Kátia Regina Silva

Impresso no Brasil
*Printed in Brazil*
2020

CIP-BRASIL. CATALOGAÇÃO NA PUBLICAÇÃO
SINDICATO NACIONAL DOS EDITORES DE LIVROS, RJ
MERI GLEICE RODRIGUES DE SOUZA — BIBLIOTECÁRIA CRB-7/6439

S117h
2.ed.

Sabadin, Celso
A história do cinema para quem tem pressa / Celso Sabadin – 2. ed. – Rio de Janeiro: Valentina, 2020.
200p. il. ; 21 cm.

ISBN 978-85-5889-066-3

1. Cinema – História. I. Título.

18-48583

CDD: 791.43
CDU: 791

Todos os livros da Editora Valentina estão em conformidade com o novo Acordo Ortográfico da Língua Portuguesa.

*Todos os direitos desta edição reservados à*

EDITORA VALENTINA
Rua Santa Clara 50/1107 – Copacabana
Rio de Janeiro – 22041-012
Tel/Fax: (21) 3208-8777
www.editoravalentina.com.br

# SUMÁRIO

INTRODUÇÃO  7

**CAPÍTULO UM ● A Pré-História das Imagens em Movimento  11**
Afinal, Quem Inventou o Cinema?  13  Thomas Edison  18

**CAPÍTULO DOIS ● Os Pioneiros  21**
Os Irmãos Lumière  22  Georges Méliès  26  Charles Pathé  29

**CAPÍTULO TRÊS ● Os Norte-Americanos  33**
Biograph e Griffith  36  Vitagraph e Blackton  37  Porter  39

**CAPÍTULO QUATRO ● A Guerra das Patentes e os
Grandes Estúdios  41**
IMP / Universal  47  Mutual / Keystone / Triangle  48
Famous Players / Lasky / Paramount  52  Fox  53
United Artists  55  Columbia  57  Metro-Goldwyn-Mayer (MGM)  58

**CAPÍTULO CINCO ● Consequências da Primeira Guerra
Mundial  60**
Surge Hollywood  63  O Surrealismo  65

**CAPÍTULO SEIS ● O Expressionismo Alemão  68**

**CAPÍTULO SETE ● O Impressionismo Francês  75**

**CAPÍTULO OITO ● A Rússia e o Realismo Soviético  81**

**CAPÍTULO NOVE ● A Warner Ensina o Cinema a Falar  89**
O Som Muda os Caminhos do Cinema  92

**CAPÍTULO DEZ** ● **A Grande Depressão** **98**
Recuperação   102

**CAPÍTULO ONZE** ● **O Realismo Poético Francês** **106**

**CAPÍTULO DOZE** ● **A Segunda Guerra Mundial** **109**

**CAPÍTULO TREZE** ● **O Filme Noir** **114**

**CAPÍTULO QUATORZE** ● **O Neorrealismo Italiano** **119**

**CAPÍTULO QUINZE** ● **O Cinema Brasileiro Chega ao Mundo** **126**
Vera Cruz   126   Cinema Novo   129

**CAPÍTULO DEZESSEIS** ● **A Chegada da TV e o Fim dos Grandes Estúdios** **133**

**CAPÍTULO DEZESSETE** ● **A Nouvelle Vague** **140**

**CAPÍTULO DEZOITO** ● **Contracultura** **145**
A Nova Hollywood   150

**CAPÍTULO DEZENOVE** ● **O Cinema de Animação** **154**
Eternos Personagens Animados   159

**CAPÍTULO VINTE** ● **Premiações e Festivais** **162**
O Cinema É uma Festa   164

**CAPÍTULO VINTE E UM** ● **Franquias, Continuações e Remakes** **167**

**CAPÍTULO VINTE E DOIS** ● **Para Quem Não Tem Pressa** **173**
Índia   173   Nigéria   175   China   176   Japão   179
Irã   184   Dinamarca e o Dogma 95   186   Coreia do Sul   186
Retomada Brasileira   188

FONTES E REFERÊNCIAS BIBLIOGRÁFICAS   193

# INTRODUÇÃO

Não há como fugir da comparação: escrever um livro "para quem tem pressa" é como planejar uma grande festa na qual não haverá lugar para todos. Quem será convidado? Quem ficará de fora? Como não cometer grandes injustiças? Resumir em algumas páginas a história da arte mais representativa do século 20 — considerada a sétima, uma indústria nascida juntamente com o século 20 e que vive agora, no século 21, uma de suas maiores revoluções — é, antes de tudo, um exercício de síntese. Síntese, aliás, que se configura numa das características mais particulares do próprio cinema, essa linguagem mágica capaz de condensar algumas das maiores histórias da Humanidade em, aproximadamente, duas horas de imagens e sons.

Aqui privilegiou-se o processo histórico — a eterna engrenagem de causas, efeitos, agentes e consequências que movem os ciclos dos acontecimentos. Sempre no sentido de conduzir o leitor não apenas a um apanhado de datas, nomes e fatos, mas também à compreensão de como a arte e a indústria cinematográficas se desenvolveram — e por que não, regrediram —, levadas pelos ventos dos grandes acontecimentos históricos, políticos e sociais de cada tempo e de cada geografia.

Tudo está interligado nesse processo em que nada acontece por acaso. Se grandes correntes estéticas do cinema nasceram e morreram, se importantes mercados audiovisuais se solidificaram, se enfraqueceram e até ruíram, se cinematografias as mais diversas foram construídas e destruídas com a ação do tempo, tudo aconteceu dentro da lógica — nem sempre muito lógica — das alterações sociais e culturais empreendidas pelo elo ao mesmo tempo mais frágil e mais atuante da história: a Humanidade e suas imprevisíveis suscetibilidades.

Ausências deste ou daquele cineasta, deste ou daquele ator, deste ou daquele talento certamente se farão sentir porque, como se disse, não cabem todos na festa. Mas cabem as grandes tendências, as grandes escolas cinematográficas, os grandes movimentos, os países que se destacaram na construção e nos desdobramentos da chamada Sétima Arte, os momentos decisivos de cada período que ajudaram a construir a História do Cinema.

Livros, invariavelmente escritos para durar, se constituem num conceito que se choca com a extrema volatilidade — muitas vezes irresponsável — da informação difundida na era da internet. Por isso, *A História do Cinema para Quem Tem Pressa*, impresso neste suporte tão antigo quanto duradouro chamado papel (embora também encontrado em versão digital — e-book), se propõe a ser um tipo de pontapé inicial para quem procura uma visão ampla e, com certeza, séria dos caminhos tomados pelos filmes e pelos talentos que os realizaram, nas últimas doze décadas. Como se trata de uma história longa e repleta de versões, a ideia aqui é criar no leitor o estímulo para leituras mais aprofundadas e mais ramificadas. Ou seja, um livro que se propõe a multiplicar o interesse para outros livros sobre o tema tão infinito do cinema.

Informar, instigar, provocar e abrir novas janelas para o conhecimento do audiovisual estão entre os principais objetivos desta obra, um livro que não tem a pretensão de esgotar nem o tema (por si só, inesgotável), nem a paciência do leitor mergulhado nessa louca contemporaneidade que já é, por si só, apressada.

A todos, uma boa festa, independentemente de quem seja convidado ou não, de quem encontre ou não seu assento.

*O autor*

# CAPÍTULO UM

## A PRÉ-HISTÓRIA DAS IMAGENS EM MOVIMENTO

A exemplo do que acontece agora nos primeiros anos do século 21, o mundo também parecia estar enlouquecendo na virada do século 19. A época, conhecida como Segunda Revolução Industrial, viu a Humanidade se desenvolver tecnologicamente em poucas décadas mais do que havia se desenvolvido em toda a sua milenar existência até então. Foi o momento em que o ferro se viu substituído pelo aço, e o vapor, pela energia elétrica e pelos derivados do petróleo. A maquinaria automática, a química industrial, a aceleração dos transportes, das comunicações e da urbanização deram origem a novas formas de organização social que transformaram o planeta em velocidade e proporção jamais vistas.

Em poucas décadas, quase tudo mudou. Até 1859, por exemplo, jamais havia sido perfurado um poço de petróleo em nosso planeta. O desenvolvimento do motor de combustão interna (1876, por Nikolaus Otto), que logo depois seria adaptado para o uso da gasolina (por Gottlieb Daimler) e readaptado para ser inflamado por uma faísca elétrica (por Karl Benz), deu origem ao automóvel, devidamente equipado, a partir de 1897, pelos pneus inventados por J.B. Dunlop. Os irmãos Wright, em 1903, e Alberto Santos Dumont, em 1906, realizaram suas experiências bem-sucedidas com aeroplanos mais pesados que o ar, o que equivale a dizer que a Humanidade passou da carroça ao avião em menos de meio século.

Em 1860, havia cerca de 50 mil quilômetros de trilhos ferroviários assentados no mundo inteiro. Trinta anos depois, tal quilometragem subiu, somente nos Estados Unidos, para 270 mil, mais 32 mil no Reino Unido e 42 mil na Alemanha. Alexander Graham Bell inventou o telefone em 1876 e Thomas Edison, a lâmpada elétrica com filamento incandescente, três anos depois. Menos de dez anos mais tarde, Nikola Tesla desenvolveu um sistema de iluminação em cidades inteiras, possibilitado por seus experimentos com corrente alternada de eletricidade.

Um ano antes da virada do século, Guglielmo Marconi transmitiu uma mensagem através do Canal da Mancha, graças ao seu telégrafo sem fio.

Melhores condições de higiene e saneamento, somadas ao aumento dos rendimentos médios da população economicamente ativa, não somente reduziram as taxas de mortalidade, como também propiciaram um acréscimo nos índices de natalidade da população mundial. Entre 1810 e 1910, a Inglaterra viu sua população ser multiplicada por quatro. No mesmo período, a Alemanha saltou de 25 milhões para 70 milhões de habitantes, enquanto a população da Rússia cresceu mais de 50% entre 1865 e 1915. Os 190 milhões de habitantes contabilizados em toda a Europa, em 1800, se transformaram em 460 milhões nos primeiros 15 anos do século 20. No Brasil, o crescimento demográfico registrado entre 1872 e 1900 foi de 70%, com a população saltando de 10 milhões para 17 milhões de habitantes.

Mais que aumentos numéricos, as estatísticas desse período apontam para a tendência irreversível da urbanização. A Alemanha de 1840 possuía apenas duas cidades com mais de 100 mil habitantes, número que saltou para 48 em 1910. O Rio de Janeiro, a então capital federal brasileira, somava, na virada do século, expressivo meio milhão de habitantes. Em 1901, o censo inglês revelou que a mão de obra economicamente ativa naquele país era composta por 20% de trabalhadores rurais e 80% de urbanos. E, em 1915, os norte-americanos que viviam em cidades já representavam 40% da população do país. Nasceram as metrópoles, os conglomerados urbanos, os arranha-céus, a burguesia industrial, o capitalismo financeiro, o empresariado e — consequentemente — o proletariado.

A febre de inovações técnicas entusiasmou populações cada vez mais sedentas de informação, lazer, entretenimento, estímulos, novidades... Entre elas, esse misto de arte, magia, encantamento e tecnologia que o mundo viria conhecer com o nome de CINEMA.

## Afinal, Quem Inventou o Cinema?

Dizem as enciclopédias que o cinema foi inventado pelos Irmãos Lumière em 28 de dezembro de 1895, mas a rigor não é possível determinar um dia exato, nem mesmo uma única paternidade para essa invenção. A procura por um aparato técnico que registrasse com razoável qualidade as movimentações da natureza era centenária. Foram vários os inventores, técnicos, cientistas e pesquisadores que fizeram parte da "pré-história" do cinema, ou seja, da busca pelas imagens em movimento, antes de 1895.

As primeiras experiências se basearam nas milenares Lanternas Mágicas chinesas, espécie de parente do projetor de slides, uma caixa à prova de luz, com uma vela acesa dentro, que projetava sombras, silhuetas e pequenos desenhos a uma plateia com muito boa vontade. A partir da segunda metade do século 18, esse tipo de show de sombras tornou-se bastante popular entre as audiências de circos e feiras de atrações. Surgiram diversos nomes para designar os inventos primitivos na área, como Eidophusikon (criado pelo cenógrafo teatral Philippe-Jacques de Loutherbourg, por volta de 1780); ou Panorama, do pintor irlandês Robert Barker, na mesma época em que o público era colocado no interior de um grande cilindro em cujas paredes pinturas, luzes, sombras e projeções proporcionavam alguma sensação de imagens em movimento. Cerca de dez anos depois, o belga Étienne Robertson criou Fantasmagoria, uma performance desenvolvida em um teatro decorado como uma igreja gótica, onde se projetavam imagens de fantasmas e demônios por meio de lanternas montadas sobre um carrinho movimentado por trás do cenário.

Em 1822, o francês Louis Jacques Mandé Daguerre — que, mais tarde, seria um dos pais da fotografia — desenvolveu seu Diorama, no qual o público se sentava diante de um grande cenário formado de partes opacas e translúcidas, e era bombardeado por jogos de luzes. As técnicas da época eram diversas, incluindo desenhos e silhuetas pintados sobre discos rotatórios de vidro, ou múltiplos projetores com luzes alternadas para simular a sensação de movimento. Entretanto, eram espetáculos muito mais teatrais e circenses que propriamente cinematográficos.

## CAPÍTULO UM: A PRÉ-HISTÓRIA DAS IMAGENS EM MOVIMENTO

O que conhecemos hoje como cinema começou a tomar formas mais definidas a partir de 1833, ano do surgimento do Fenacistoscópio, invenção derivada das pesquisas isoladas do físico belga Joseph Plateau e do matemático austríaco Simon Stampfer. Sobre um disco rotativo, colocavam-se desenhos representando a sequência de uma mesma ação, como se fossem os fotogramas de um desenho animado. Entre cada ilustração, abria-se um pequenino recorte por onde o olho enxergava. Levando-se o aparelho para a frente de um espelho, o disco era girado a toda velocidade, e o observador, colocado atrás do disco, via o desenho se "movimentar" no espelho, através dos tais recortes. No ano seguinte, William George Horner apresentou seu Zoetrope à comunidade científica da Inglaterra, utilizando o mesmo princípio do Fenacistoscópio, mas trocando o disco por um cilindro, com os desenhos colocados em seu interior.

A partir da invenção da fotografia — atribuída ao francês Joseph Nicéphore Niépce, em 1823, que captou a imagem de uma mesa após 14 horas ininterruptas de exposição à luz —, os inventos de simulação de imagens em movimento, que até então utilizavam pinturas e desenhos, passaram a usar representações fotográficas, aumentando sensivelmente a ilusão da realidade. Surgiram, então, Fenacistoscópios, Zoetropes ou similares (como o Phasmatrope, de Henry Heyl), com fotos substituindo desenhos.

Em 1872, o fotógrafo inglês Eadweard Muybridge foi contratado pelo então governador da Califórnia, Leland Stanford, para provar que um cavalo chegava a tirar de uma vez as quatro patas do chão durante o galope. Motivo? Uma aposta. A ideia era comprovar o feito por meio de uma rápida sucessão de fotos, já que o olho humano não tem a acuidade necessária para tal observação. Munido de 24 câmeras com disparadores automáticos, Muybridge realizou a encomenda do governador, que venceu a aposta. Ele também percebeu que as duas dúzias de fotos tomadas num curto espaço de tempo e exibidas rapidamente em sequência conseguiram uma ilusão de movimento razoavelmente satisfatória. Oito anos depois, o fotógrafo realizou uma exibição de seus experimentos em uma reunião da San Francisco Art Association, que foi saudada com otimismo pelo jornal *San Francisco Alta*, na edição de 9 de maio de 1880: "O sr. Muybridge traçou os fundamentos de um novo método de entretenimento, e nós prevemos que esta lanterna mágica de fotografias instantâneas irá dar a volta ao mundo civilizado."

Diante disso, é lícito afirmar ser Muybridge o pai do cinema. Talvez, mas não sozinho, pois, na realidade, seus experimentos se inspiraram nos trabalhos de Étienne-Jules Marey, inventor francês que, ao pesquisar os movimentos dos animais, concebeu o Fuzil Fotográfico, um aparato em formato de espingarda que, em vez de balas, disparava 12 fotos por segundo em um disco rotativo.

Experimento de Muybridge

Se o cinema como o conhecemos foi originalmente inventado como uma sucessão de fotografias disparadas em grande velocidade, sua viabilização estava muito próxima de acontecer. Porém, captar imagens tendo como suporte discos rotativos era algo trabalhoso, pouco preciso, e o próprio tamanho do disco limitava o número de fotos. Com o aperfeiçoamento do rolo de papel fotográfico, desenvolvido pelo norte-americano George Eastman (o fundador da Kodak) a partir de 1885 (o rolo de celuloide só surgiria quatro anos depois, também pelas mãos de Eastman), o processo de captação de imagens foi simplificado, e o próprio Marey chegou a construir uma câmera cinematográfica rudimentar, em 1888, que batizou de Chronophotographe.

Há historiadores, porém, que atribuem ao francês Louis Aimé Augustin Le Prince o pioneirismo do cinema. Isso porque foram descobertos, em novembro de 1888, dois fragmentos de filmes realizados supostamente por ele, sobre rolos de papel de 50 milímetros. O primeiro, filmado entre 10 e 12 quadros por segundo, mostra um jardim, enquanto o outro, com 20 quadros por segundo, exibe a ponte de Leeds. A história de Le Prince traz contornos dignos de um filme de suspense: registros policiais da época informam que o inventor desapareceu em 16 de setembro de 1890, após marcar uma reunião com Ferdinand Mobisson, secretário da Opéra Garnier de Paris, a quem mostraria sua invenção. Foi visto pela última vez na estação de trem de Dijon, onde embarcaria rumo ao encontro marcado na capital. Nem ele nem seu equipamento técnico jamais foram encontrados, e a reunião nunca se realizou.

## Thomas Edison

Não foi somente a Europa que desenvolveu, naquele período, pesquisas em busca da ilusão de imagens em movimento. Nos Estados Unidos, Thomas Alva Edison — o então já rico e famoso inventor da lâmpada elétrica, do microfone a carvão e do fonógrafo — também colocou sua equipe a serviço dessa empreitada. E supostamente com sucesso: há indícios de que Edison já teria conseguido, ainda em 1887, colocar imagens em movimento através de um rolo perfurado, mas teria abandonado as pesquisas por acreditar que seu invento, por não ter som, não despertaria interesse algum.

Em 1889, Edison designou seu assistente William Kennedy-Laurie Dickson para dar continuidade à pesquisa. Especialista em óptica e fotografia, Dickson já havia desenvolvido um sistema que denominara Cinetofonograph ou Cinetophone, formado por uma câmera — então chamada de Cinetograph — capaz de sensibilizar uma película de celuloide de 35mm de largura (desenvolvida por George Eastman) e com quatro perfurações de cada lado do fotograma. O filme resultante, com cerca de 15 metros, era então exibido dentro de uma caixa de observação individual (batizada como Kinetoscope, ou Cinetoscope, e geralmente traduzida como Cinetoscópio) dotada de manivela, que, por sua vez, se encontrava acoplada a um fonógrafo. A engenhoca proporcionava a um único espectador por vez aproximadamente 90 segundos de cenas não maiores que um cartão de visitas.

A primeira demonstração pública do Kinetoscope aconteceu em 22 de maio de 1891, nos laboratórios de Edison em Nova Jersey, diante de 147 pessoas. O jornal *New York Sun* definiu-o como uma pequena caixa de pinho com roldanas e correias: "Na parte de cima da caixa, havia uma abertura de aproximadamente uma polegada de diâmetro. Ao se olhar pela abertura, via-se a figura de um homem, uma maravilhosa fotografia. Ele fazia reverências, sorria, acenava com as mãos e tirava seu chapéu com graça e naturalidade perfeitas. Todos os movimentos eram perfeitos."

Propaganda do Kinetoscope de Edison em jornal da época

Ainda que inventado em 1889 e apresentado ao público dois anos depois, a primeira exibição comercial do Kinetoscope só ocorreu em 14 de abril de 1894, no Holland Bros' Kinetoscopes, no número 1155 da Broadway, em Nova York. Eram dez caixas dispostas em duas fileiras e, por 25 centavos de dólar, os curiosos podiam apreciar cinco filmes de aproximadamente 90 segundos cada. O primeiro dia atraiu uma pequena multidão calculada em 500 pessoas, com faturamento de 120 dólares. Em 1895, Dickson se desentendeu com Edison e abandonou o emprego. O empresário, então, passou a negar qualquer participação de seu assistente na nova invenção.

Em função do Kinetoscope, os norte-americanos consideram Thomas Edison o inventor do cinema, em 1891. Contudo, historiadores de todo o restante do planeta afirmam que o Kinetoscope não é o marco inicial da atividade cinematográfica, por dois fatores básicos: primeiro, no sistema de Edison, a observação do filme era individual, e não coletiva, através de projeção; segundo, seu invento tinha um caráter muito mais experimental que propriamente comercial, tendo contribuído muito pouco para o efetivo desenvolvimento do cinema.

# CAPÍTULO DOIS

## Os Pioneiros

De qualquer maneira, o ano de 1895 é considerado, pela maioria dos pesquisadores, o ano zero da história do cinema, visto que a data marca não apenas o histórico evento dos Lumière, como também outras projeções pioneiras. Já em fevereiro, o norte-americano Acmé LeRoy e o francês Eugène Lauste realizaram uma precária exibição de imagens para uma pequena plateia de pesquisadores, nos Estados Unidos.

Em maio, outra projeção histórica: Dickson — o ex-assistente de Thomas Edison — e Woodville Lathan, que desenvolveram um sistema de filmagem e projeção de nome Panopticon, exibiram, em Nova York, *Young Griffo versus Battling Charles Barnett*, registro filmado de quatro minutos de uma luta de boxe que se constituiu na primeira exibição da história do cinema com cobrança de ingressos.

Dois meses depois, mais dois norte-americanos, os inventores Thomas Armat e Charles Francis Jenkins, apresentaram seu sistema Phantascope em uma exposição agrícola em Atlanta. A exibição agradou a Thomas Edison, que se associou a Armat e, junto com ele, criou, anos depois, o sistema Edison Vitascope. Ambos brigariam judicialmente mais tarde.

Ainda em 1895, em outubro, em Berlim, o inventor e fotógrafo alemão Ottomar Anschütz também conseguiu exibir um sistema rudimentar de projeção de imagens em movimento chamado Tachyscope. E, na mesma cidade, no mês seguinte, seus compatriotas Max e Emil Skladanowsky mostraram, na Berlin Wintergarten, os resultados de sua mais recente invenção: o Bioskop.

Entretanto, em meio a várias iniciativas pioneiras e personagens que se perderam pelos caminhos da História, os nomes aceitos praticamente por unanimidade como os inventores do Cinema são os dos irmãos franceses Auguste e Louis Lumière.

## Os Irmãos Lumière

Sócios e herdeiros da Société Anonyme des Plaques et Papiers Photographiques Antoine Lumière et ses Fils, bem-sucedida empresa do ramo fotográfico, Auguste e Louis conheceram o sistema Kinetoscope de Edison em 1894, numa exibição em Paris, e logo nele se debruçaram no sentido de aperfeiçoá-lo. Após várias alterações, requereram, em 13 de fevereiro de 1895, a patente do novo invento, batizado de Cinématographe (em português, Cinematógrafo), uma caixa de madeira equipada com uma lente em sua parte dianteira e uma pequena manivela do lado direito. À primeira vista, pouco diferia de outros sistemas de filmagem desenvolvidos até então, contudo, uma análise mais detalhada apontou inovações importantes. O Cinématographe se mostrou mais leve, mais preciso, mais compacto e mais fácil de operar que o Kinetoscope, além de apresentar um diferencial decisivo: a mesma caixa que filmava também era capaz de projetar o filme. Tal inovação foi o golpe definitivo no Kinetoscope, pois permitiu a exibição coletiva dos filmes com grande facilidade e melhor qualidade, enquanto o invento de Thomas Edison permitia somente observações individuais.

Em 22 de março de 1895, os irmãos promoveram uma exibição para os membros da Société d'Encouragement pour l'Industrie Nationale, em Paris, esta, sim, verdadeiramente a primeira sessão pública do Cinématographe. Faltava uma sessão solene, uma inauguração oficial, aberta ao público e à imprensa, enfim uma "première" promocional do novo sistema. Foi o que aconteceu em 28 de dezembro de 1895, no Salão Indiano, subsolo do Le Grand Café, no Boulevard des Capucines, número 4, no Centro de Paris. Ao preço de 1 franco por ingresso, cerca de uma centena de pessoas testemunharam a sessão de aproximadamente 20 minutos, na qual foram exibidos curtas produzidos pelos próprios Lumière, entre eles, *A Saída dos Operários da Fábrica Lumière*, considerada a primeira produção dos irmãos. Estava "oficialmente inventado" o cinema. A exibição pública foi fundamental para o sucesso do invento, já que os demais cientistas, pesquisadores e inventores, além de terem em mãos aparelhos de qualidade inferior, restringiam suas projeções à comunidade científica. Os Lumière também perceberam na novidade uma atividade diretamente ligada ao ramo do entretenimento — da diversão —, enquanto vários outros pesquisadores priorizavam o aspecto científico das imagens em movimento.

Após o sucesso da sessão de 28 de dezembro, cinegrafistas dos Lumière saíram divulgando a novidade por todo o mundo. Com apurado tino comercial, os irmãos logo trataram de enviar verdadeiros "representantes de vendas" aos cinco continentes. Tais "representantes" ou "cinegrafistas" eram treinados por Alexandre

Promio — funcionário das Indústrias Lumière e considerado um dos primeiros operadores de câmera da história — para vender a magia e a facilidade de operação do Cinématographe a qualquer pessoa, em qualquer canto do planeta.

Os Lumière não venderam seus filmes e equipamentos para quem se dispôs a exibi-los, preferindo operar num sistema de concessão, em que os lucros das bilheterias eram divididos meio a meio com os concessionários. Em apenas 18 meses, a empresa já oferecia um catálogo de mais de mil títulos, e os negócios prosperaram nessa formatação até 1897, ano em que os Estados Unidos impuseram severas restrições alfandegárias aos produtos cinematográficos franceses.

O cinema se espalhou com muita rapidez por todo o planeta, registrando-se projeções pioneiras em locais distantes da Europa, como África do Sul, Egito, Brasil, Argentina, México, Guatemala, China e Austrália já em 1896; Cuba, Peru, Tailândia e Japão em 1897, além de Indonésia, Senegal e Coreia em 1900.

Nos primeiros momentos do século 20, o cinema estava inventado e difundido mundialmente como técnica, mas não como linguagem, já que os primeiros filmes pouco diferiam de meros cartões-postais em movimento, com cerca de 50 segundos de duração. Num primeiro momento, os cinegrafistas de Lumière limitaram-se a fixar a câmera em algum lugar supostamente interessante, a apontar as lentes para algo que se movia e a rodar a manivela. Plano único, sem cortes.

A gênese da produção cinematográfica é repleta de pequenos curtas-metragens mostrando o vaivém das ruas, o movimento de pessoas, carros, trens, bondes ou animais passando diante das lentes. *Demolição de um Muro* (1896), por exemplo, é simplesmente o registro da demolição de um muro da Fábrica Lumière, enquanto *O Almoço do Bebê* (1895) mostra um bebê almoçando entre seus pais (o "papai", aliás, é o próprio Auguste). Naqueles primeiros meses de cinematógrafo, a magia da novidade foi suficiente para atrair a atenção do público, independentemente do eventual conteúdo dos filmes.

Com a técnica já compreendida e dominada, foram produzidos timidamente alguns curtas não documentais, com ideias simples, como *L'Arrouseur Arrosé* (1897), baseado numa conhecida tira cômica de jornal, em que um garoto pisa numa mangueira de jardim, represando a água, para depois soltá-la de uma só vez no rosto do incauto jardineiro. A partir de 1896, com o desenvolvimento de um projetor com capacidade para rolos maiores, tem início um processo bastante rudimentar de montagem que resulta em filmes de maior duração por meio da simples colagem dos rolos. *La Vie et la Passion de Jésus-Christ* (1898), por exemplo, recria a vida de Cristo em 13 rolos que somam cerca de 15 minutos de projeção.

Cena do filme *L'Arrouseur Arrosé*, dos irmãos Lumière

Contudo, quando as inovações técnicas e artísticas sinalizaram para o desenvolvimento do que viria a ser uma nova forma de se contarem histórias por meio de imagens em movimento, os irmãos Lumière, em 1905, optaram por encerrar a produção de filmes e se concentrar na exploração comercial de equipamentos e do grande catálogo de títulos já estocados. O cinema lhes rendeu fortuna, fama e longevidade: Louis morreu em 1948, aos 84 anos, e Auguste em 1954, aos 91.

## GEORGES MÉLIÈS

Se Thomas Alva Edison (para os norte-americanos) e os irmãos Lumière (para praticamente a totalidade do mundo) viabilizaram o cinema como técnica, quem o elevou à categoria de arte e espetáculo foi o parisiense Marie-Georges-Jean-Méliès. Desenhista, escultor, pintor e manipulador de bonecos e marionetes, Méliès estudou na École de Beaux-Arts de Paris. Em 1888, aos 27 anos, vendeu sua parte na indústria de calçados da família e comprou o lendário Théâtre Robert-Houdin, do mágico considerado o "pai do ilusionismo moderno" Jean Eugène Robert-Houdin, falecido alguns anos antes, um mito em seu tempo.

Após sete anos realizando espetáculos de magia e humor em seu teatro, Méliès tomou contato com o recém-inventado Cinematógrafo e, já no início de 1896, incorporou projeções de filmes aos seus shows. Pouco depois, começou a rodar suas próprias produções, com a marca Star Film.

É dessa fase *O Desaparecimento de uma Dama no Teatro Robert-Houdin* (1896), a princípio apenas o registro de um breve número de magia em que uma mulher desaparece sob um manto. Porém, um pequeno descuido (a ponta do vestido ficou mal

CAPÍTULO DOIS: OS PIONEIROS

coberta pelo manto) revelou que o verdadeiro truque não foi feito no palco, como as mágicas convencionais de Méliès, mas sim no momento do corte do filme, o que já sinalizava os caminhos que o cinema da Star Film tomaria: o dos efeitos especiais. Pelo menos, os possíveis naquele momento.

A partir de 1897, Méliès decide se dedicar exclusivamente ao cinema, não só utilizando seu teatro como estúdio e sala de projeção, como também construindo um novo estúdio, este equipado com iluminação artificial para as filmagens, um pioneirismo na época. Com inquietação e criatividade acima de seus concorrentes, ele adaptou para as telas a clássica história de Cinderela, *Cendrillon* (1899), contratou 500 figurantes para rodar *Jeanne D'Arc* (1900), fez um homem comum se transformar numa mosca em *L'Homme-Mouche* (1902), além de filmar clássicos da literatura e do teatro, como *Barba-Azul* (1901), *Le Voyage de Gulliver à Lilliput et Chez les Géants* (1902), *Les Aventures de Robinson Crusoé* (1903), *Les Mousquetaires de la Reine* (1903), *Hamlet* (1907), *20.000 Léguas Submarinas* (1907), e até um profético *O Túnel do Canal da Mancha* (1907), ficção mostrando o rei da Inglaterra e o presidente da França unindo esforços para construir um túnel submarino ligando as cidades de Dover e Calais, praticamente 90 anos antes do Eurotúnel.

Inovador, Méliès desenvolveu soluções cinematográficas das mais simples às mais elaboradas. Em *Visite de L'Épave du Maine* (1898), por exemplo, para criar a ilusão de um ambiente submarino, pintou um cenário aquático, dirigiu seus atores para que eles se movimentassem lentamente, como se estivessem debaixo d'água, e posicionou a poucos centímetros da lente da câmera um aquário com peixes, filmando através dele. A ilusão obtida — inusitada e bastante satisfatória para a época — foi a de que os peixes do aquário realmente nadavam ao lado dos atores, com a água preenchendo todo o quadro filmado. Com cortes precisos e bonecos, Méliès criou cenas de decapitação com tanto realismo que o governo francês as proibiu, em 1911. No ano seguinte, ele utilizou madeira, cordas e um sistema de roldanas para construir um grande ser alienígena para o filme *A Conquista do Polo*.

Em seus mais de 500 filmes, Méliès levou para o cinema seu aprendizado no teatro e no ilusionismo. Com pioneirismo, criou personagens, desenvolveu cenários e figurinos, trabalhou a iluminação artificial e inventou seus próprios "efeitos especiais". Por outro lado, ingenuamente, manteve sua câmera sempre fixa no ponto de vista de quem se acomodava numa plateia teatral para apreciar o espetáculo.

Cena de *Viagem à Lua*, de Méliès

CAPÍTULO DOIS: OS PIONEIROS

A cômica cena do "rosto" da Lua sendo atingido por uma cápsula espacial em cheio no olho (*Viagem à Lua*, de 1902) tornou-se uma das mais clássicas da história. O cinema ainda não havia completado sete anos de existência e já exibia seres lunares sendo exterminados por terráqueos em nuvens de fumaça, foguetes e viagens interplanetárias... ainda que os "astronautas" vestissem fraque e cartola.

No entanto, Méliès só filmou até 1913. Artístico e artesanal, ele perdeu mercado para o conterrâneo Charles Pathé, de agressivo tino comercial, além de ter sofrido as consequências do fracasso do cartel comandado por Thomas Edison, tema a ser abordado mais adiante. A partir de 1915, Méliès voltou a atuar apenas como mágico e ilusionista, até encerrar suas atividades em 1923, mesmo ano em que seu teatro foi demolido, colocando um simbólico ponto-final numa era romântica do cinema.

## CHARLES PATHÉ

Já nos primeiros anos do cinema, entre o pioneirismo dos irmãos Lumière e o espetáculo artístico de Méliès, incontáveis pequenos produtores espalhados pelo mundo promoviam, cada um a seu modo, o desenvolvimento da atividade, quase sempre de maneira artesanal e empírica. Uma forma simples e barata de entretenimento direcionado à população de baixa renda, os filmes corriam o risco de perder o trem da história naquele início de século 20, marcado por forte desenvolvimento tecnológico e comercial. Seria outro francês o responsável pela transformação do cinema em lucrativa atividade empresarial.

Após tentar inúmeros empregos e pequenos negócios sem sucesso, Charles Pathé tornou-se revendedor de fonógrafos e cilindros de cera (os precursores dos discos musicais) fabricados por Thomas Edison, atuando majoritariamente no interior da França. Então, a partir de 1896, aos 33 anos, começou também a comercializar câmeras e projetores de cinema. Percebendo o grande interesse popular pela nova invenção, no mesmo ano associou-se aos seus irmãos Émile, Jacques e Théophile, e fundou a Pathé Frères, com o objetivo de produzir cinema.

Em pouco tempo, Jacques e Théophile saíram da sociedade, Émile dedicou-se aos fonógrafos e Charles intensificou a produção de filmes, passando a contar com a parceria de Ferdinand Zecca, nome vindo do teatro de variedades. Charles entrou com o capital, estúdios e distribuição internacional, enquanto Zecca contribuiu com argumentos, cenários, direção, e até, vez ou outra, como ator.

Em 1902, a empresa construiu um estúdio na cidade de Vincennes, onde rodou um filme a cada dois dias, sempre seguindo uma receita de histórias simples, objetivas e muito populares. Grosserias, aberrações e vontade de chocar faziam parte do cardápio. *História de um Crime* (1901), por exemplo, expõe com forte realismo a chocante execução de um criminoso na guilhotina (obviamente, com trucagens). *Les Victimes de L'Alcoolisme* (1902) mostra um pai de família agonizando e morrendo em delirium tremens, vítima do álcool. Em *Erreur de Porte* (1904), um rapaz entra numa cabine telefônica julgando estar em um banheiro público, abaixa as calças, defeca e sai aliviado, para espanto do próximo usuário da cabine.

Com os lucros crescentes, a Pathé Frères passou a se dedicar também a produções mais elaboradas, como uma versão de nove minutos de *Ali Babá e os 40 Ladrões* (1907), ou um ambicioso *La Vie et la Passion de Jésus Christ* (1903), colorido por meio de um sistema de estêncil manual, com surpreendentes, para a época, 44 minutos de duração.

Cena da versão de *Cendrillon* (*Cinderela*) produzida pela Pathé

Visando à exportação, a Pathé Frères estabeleceu escritórios em vários países, e o galo cantando com o peito estufado — logotipo da empresa a partir de 1905 — marcou presença não apenas nas aberturas de seus filmes, como também em câmeras, projetores e películas virgens de sua fabricação, além de laboratórios e salas de exibição de sua propriedade. Cinco estúdios sediados em Vincennes, Montreuil e Joinville rodavam filmes 24 horas por dia, com luz natural ou artificial.

Um acordo firmado com a Société Cinématographique des Auteurs et Gens de Lettres garantiu à Pathé prioridade para a adaptação cinematográfica das obras clássicas da literatura e do teatro franceses. Em 1908, a empresa introduziu o primeiro cinejornal distribuído mundialmente, o *Pathé Journal*, atualizado semanalmente por cinegrafistas e editores espalhados pelo mundo, e exibidos em várias versões e títulos, como *Pathé's Animated Gazette*, na Inglaterra, ou *Pathé News*, nos Estados Unidos.

Por meio do novo sistema de comercialização desenvolvido pela empresa, os filmes não foram mais vendidos à rede de exibição, mas alugados, o que ampliou ainda mais os ganhos da Pathé. Os lucros da empresa, em torno de 1 milhão de francos em 1902, saltaram para 6,5 milhões em 1906 e 24 milhões em 1907. Numa ascensão vertiginosa, Charles Pathé se tornou, aos 45 anos de idade, o maior magnata da indústria cinematográfica mundial, dominando não apenas o mercado europeu, como também vendendo para os Estados Unidos, sozinho, o dobro do que vendiam as outras grandes companhias, somadas.

Entretanto, a Primeira Guerra Mundial abalou irreversivelmente o mercado cinematográfico europeu. Charles Pathé, prevendo prejuízos em larga escala, transferiu-se para a sua sucursal norte-americana em 1914. Retornando à França em 1917, reencontrou uma Europa transfigurada e um mercado de cinema irremediavelmente comprometido com os Estados Unidos. Seu império, agora decadente, durou até 1929, quando se aposentou e se mudou para a Riviera Francesa, onde desfrutou do restante da sua fortuna até 1957, ano de sua morte, aos 94 anos.

# CAPÍTULO TRÊS

## Os Norte-Americanos

No ano de 1900, os Estados Unidos ainda se constituíam numa nação majoritariamente rural, com 60% de seus 76,2 milhões de habitantes residindo em áreas não urbanas. Em apenas 20 anos, a situação do país se inverteu: a população saltou para 106 milhões, sendo que 51% residindo em cidades. Parte considerável dessa transformação deve ser creditada aos movimentos migratórios: nesse mesmo período — entre 1900 e 1920 —, entraram nos Estados Unidos, primordialmente via Oceano Atlântico, nada menos que 14,5 milhões de imigrantes, o que provocou um repentino crescimento nas cidades da Costa Leste, principalmente Nova York. Na virada do século 19, cerca de 40% dos habitantes nova-iorquinos eram estrangeiros. A cidade concentrou 5% de toda a população norte-americana.

Milhares de russos, poloneses, italianos, alemães, judeus da Europa Oriental e dos mais diversos países incharam as cidades norte-americanas, mudaram-se para construções divididas e subdivididas em dezenas de dormitórios, sempre em busca do chamado "sonho americano". A Estátua da Liberdade, acenando sua tocha de pedra, foi o primeiro sinal do Novo Mundo para todos eles. Formaram-se guetos de imigrantes de baixa renda dentro das cidades, acentuando sentimentos preconceituosos junto aos norte-americanos mais conservadores.

Com pouco dinheiro, os imigrantes passavam seus raros momentos de lazer em pequenos bares, salões de dança e sinuca, rinques de patinação, galerias de boliche e tiro ao alvo, feiras de sensacionalismo e monstruosidades, teatros de variedades (os chamados vaudevilles) e penny arcades, centros de diversões em que cada atração custava um penny (um centavo de dólar).

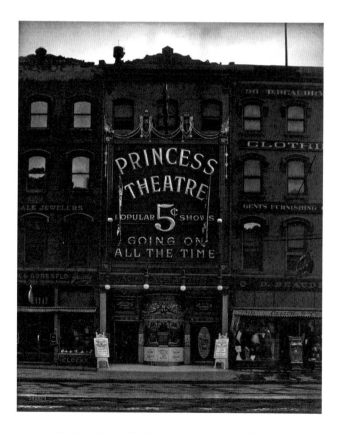

Fachada de um Nickelodeon nos Estados Unidos

CAPÍTULO TRÊS: OS NORTE-AMERICANOS

Quando os Cinetoscópios de Thomas Edison (a partir de 1894) e os Cinematógrafos dos Lumière e similares (a partir de 1896) começaram a se popularizar, os teatros de vaudeville e as penny arcades abraçaram a novidade, improvisando qualquer canto no qual fosse possível projetar um filme. A magia das imagens em movimento — com a linguagem muda e universal dispensando o conhecimento do idioma — se transformou no divertimento ideal para os milhões de imigrantes que povoavam o país naquela virada de século. Os shows mambembes de melodrama, música e humor, interpretados ao vivo por atores sobre os palcos dos vaudevilles, tornavam-se, então, aperitivos para o espetáculo maior dos filmes, projetados ao final de cada sessão.

A novidade dos chamados *movies* (abreviatura que pode ter vindo tanto de *moving pictures* — imagens em movimento — como de *life motion'd pictures*, notação criada por Thomas Edison) alastrou-se rapidamente pelos Estados Unidos, fazendo proliferar os armazéns improvisados para a exibição de filmes. Como assistir a um programa de *movies* custava um níquel (cinco centavos), tais armazéns foram batizados de nicolets, nickeldromes, nickel theaters ou nickelodeons, dependendo de onde estavam instalados. Auxiliado por empreendedores ambulantes, que realizavam projeções itinerantes de cidade em cidade, em poucos anos o cinema cruzou os Estados Unidos de costa a costa, com registros de projeções em Los Angeles já em 1902. Estima-se que, em 1908, a grande Nova York já contava com mais de 600 "poeiras" — outro apelido dado aos locais de exibição, em referência à limpeza precária do estabelecimento — que vendiam aproximadamente 340 mil ingressos diários. Rapidamente, a projeção de imagens em movimento se transformou em um negócio de enormes proporções.

## Biograph e Griffith

As empresas Biograph e Vitagraph — ambas estabelecidas em 1896 — foram as grandes pioneiras do mercado norte-americano de cinema.

Fundada pelos norte-americanos Elias Koopman, Henry Marvin e Herman Casler, e pelo escocês William Kennedy--Laurie Dickson, a American Mutoscope and Biograph Company — ou simplesmente Biograph — tornou-se o celeiro de grandes talentos do cinema, como Mack Sennett (conhecido como "O Rei da Comédia"), Mary Pickford, as irmãs Dorothy e Lillian Gish, e, principalmente, o lendário D.W. Griffith.

Antes de encontrar seu caminho como cineasta, o norte--americano David Wark Griffith trabalhou como vendedor de enciclopédias, mineiro, operário de serraria, ator de teatro e autor de poesias, contos e peças. Na tentativa de se tornar cineasta, procurou a Biograph com a intenção de vender roteiros. Aceito pela empresa, ele logo se envolveu em todas as etapas do processo de filmagem. *As Aventuras de Dollie* (1908) é o primeiro dos cerca de 450 curtas que Griffith dirigiu até 1913, sem contar as centenas de outros que supervisionou para a Biograph. Vários desses filmes já demonstravam novos elementos narrativos de grande importância para o desenvolvimento da linguagem cinematográfica, como maior diversidade nas posições de câmera, ações paralelas, iluminação dramática, ritmo de edição diferenciado, closes e outros recursos que, se não foram exatamente inventados por Griffith, nele encontraram um grande realizador.

Griffith também ensaiava seus atores de forma diferenciada, tentando extrair deles interpretações menos teatrais e mais naturais, além de ter sido um dos primeiros a filmar sob o sol da

CAPÍTULO TRÊS: OS NORTE-AMERICANOS

Califórnia durante o inverno, evitando, assim, interrupções na produção.

Apesar do sucesso, a Biograph se recusou a investir em longas-metragens, como desejavam as ambições de Griffith, o que fez com que o cineasta trocasse a empresa pela Mutual Film Corporation, em 1913. A saída de Griffith, aliada à decadência que a Biograph passou a vivenciar como empresa participante do fracassado cartel de Thomas Edison, levou a companhia a produzir seus últimos filmes em 1916.

## VITAGRAPH E BLACKTON

Fundada no mesmo ano e na mesma cidade que a Biograph (Nova York, 1896), a Vitagraph Company of America teve como sócios-fundadores dois imigrantes britânicos: James Stuart Blackton e Albert E. Smith.

Jornalista e ilustrador do periódico nova-iorquino *World*, Blackton entrou no mundo do cinema de forma inusitada: ao entrevistar Thomas Edison, o inventor tomou contato com as ilustrações de Blackton e pediu que ele o retratasse em desenhos. A experiência resultou no curta documental *Edison Drawn by 'World' Artist* (1896). Entusiasmado, Blackton comprou uma câmera do próprio Edison e convidou Albert Smith para ser seu sócio na produção de filmes, fundando, assim, a Vitagraph.

No ano seguinte, um terceiro sócio — William T. Rock — foi incorporado à empresa, que começou a rodar seus filmes no terraço do edifício que ocupava. Aproveitando a locação, o primeiro título da Vitagraph foi *The Burglar on the Roof* (1898), que tinha menos de um minuto de duração e com o próprio Blackton no papel principal. No mesmo ano, durante a Guerra Hispano-

-Americana, o estúdio produziu *Tearing Down the Spanish Flag*, considerado uma das primeiras incursões do cinema no campo da propaganda política: com Smith na câmera e mais uma vez Blackton no papel principal, o filme mostrou o hasteamento de uma bandeira norte-americana tomando o lugar antes ocupado por uma bandeira espanhola.

Produzindo em ritmo acelerado, a Vitagraph chegou à liderança do mercado norte-americano, inovando na parte técnica, ousando experimentar novos planos e enquadramentos, aprimorando-se na edição e também obtendo bons resultados no setor de desenhos animados. *Humorous Phases of Funny Faces*, *The Haunted Hotel* e *The Magic Fountain Pen*, produzidos entre 1906 e 1907, são considerados marcos históricos da animação, exibindo técnicas bastante evoluídas para a época.

Acumulando as funções de diretor, produtor, ator e desenhista de animação, Blackton chegou a ser comparado a D.W. Griffith, tornando-se ainda um dos principais incentivadores da produção de comédias de dois ou três rolos. Criou, em 1900, o seriado cômico *Happy Hooligan*, de grande sucesso na época, além de se dedicar à adaptação cinematográfica de importantes obras teatrais e iniciar um sistema de produção cinematográfica inspirado nas linhas industriais de fabricação de produtos.

Com a decadência da Vitagraph após sua participação no consórcio de Thomas Edison, Blackton deixou a empresa em 1917, tornando-se produtor independente de sucesso até 1941, ano de sua morte, aos 66 anos. Já a Vitagraph, após um período de grandes dificuldades financeiras, foi vendida para a Warner, em 1925.

## Porter

Concorrente da Vitagraph e da Biograph, Edwin S. Porter foi outro importante pioneiro do cinema norte-americano, considerado, ao lado de Griffith, um dos principais responsáveis pelo desenvolvimento da linguagem cinematográfica.

Ex-funcionário de Edison, Porter desenvolveu sua própria marca de equipamentos de cinema, a Beadnell, e começou a rodar seus próprios filmes em 1898, aos 28 anos. No entanto, um incêndio pôs fim ao negócio, fazendo com que Edwin Porter retornasse ao antigo patrão. Criativo, ele passou a imprimir um novo dinamismo aos filmes da empresa, introduzindo pequenos truques, um maior número de travellings, dupla exposição, stop motion e outras novidades para a época.

Em 1903, dirigiu *Vida de um Bombeiro Americano*, considerado um dos primeiros clássicos rodados no país. Misturando cenas reais de atuações dos bombeiros com outras encenadas exclusivamente para o filme, o curta de seis minutos chamou a atenção por seu realismo, sua carga dramática e a ampla utilização de closes, recurso raro naquele momento.

No mesmo ano, realizou não apenas uma ambiciosa versão de *A Cabana do Pai Tomás*, como também filmou aquele que viria a ser o seu trabalho mais emblemático: *O Grande Roubo do Trem*. Em 12 minutos, o filme retratou o assalto do título de forma dinâmica e vigorosa, intercalando closes, travellings, cenas externas e perseguições, numa produção que demandou o trabalho de 40 atores e obteve o status de clássico do cinema e importante pioneiro do gênero western. A cena final, em que um dos pistoleiros, em close, atira em direção à plateia, causou grande impacto na época e igualmente tornou-se clássica.

Há, contudo, pesquisadores que consideram o filme um plágio do inglês *Robbery of the Mail Coach*, lançado em Londres, em setembro de 1903, três meses antes do lançamento de *O Grande Roubo do Trem*.

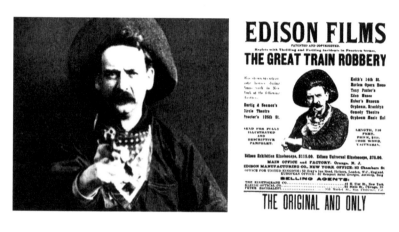

Material promocional do filme *O Grande Roubo do Trem*

Porter trabalhou para Edison até 1909, chegou a ser sócio da Famous Players (futura Paramount), buscou novas empreitadas na área técnica (inclusive trabalhando na tentativa de projeções em 3D), mas não resistiu financeiramente à quebra da Bolsa de 1929, vindo a falecer no anonimato, em 1941, aos 71 anos.

# CAPÍTULO QUATRO

## A Guerra das Patentes e os Grandes Estúdios

Relacionado a importantes invenções como o gramofone e a lâmpada elétrica, Thomas Edison não marcou o nome na história do cinema apenas por seu pioneirismo. Após descontinuar seu invento, o Cinetoscópio, Edison iniciou uma batalha voraz contra a maioria dos produtores e exibidores norte-americanos, visando conquistar a maior parcela possível do mercado. Sua arma não foi a câmera, mas os tribunais. A estratégia adotada foi a solicitação, junto ao Departamento de Patentes dos Estados Unidos, do maior número viável de registros em seu nome, requerendo para si as patentes do que fosse possível no campo das invenções cinematográficas: câmeras, projetores, peças, manivelas, engrenagens, sistemas de filmagem e projeção, filmes... enfim, o que a imaginação alcançasse. Com os registros em mãos, Edison passou a empreender exaustivas batalhas judiciais contra empresas que utilizassem equipamentos semelhantes. O objetivo não era exatamente retirar os concorrentes do mercado, mas, sim, obrigá-los a pagar direitos autorais para continuar operando.

Por volta de 1907, Edison já havia subjugado judicialmente não apenas as grandes companhias cinematográficas dos Estados Unidos, como também as poderosas francesas Pathé Frères e Star Film. Faltava a Biograph Company, importante estúdio norte-americano, teoricamente inatingível por possuir sua própria patente de câmera filmadora. Mas se a Biograph tinha a patente, Edison possuía mais fôlego empresarial, jurídico e econômico, e investiu pesado numa intensa briga judicial que durou de 1901 a 1908. Após sete anos de processos, recursos, julgamentos, liminares e apelações em todas as instâncias, a exaurida Biograph solicitou um acordo com a Edison, nascendo daí, em dezembro de 1908, a MPPC — Motion Picture Patents Company.

A MPPC foi um consórcio formado pelas empresas Biograph, Vitagraph, Essanay, Kalem, Selig, Lubin, Pathé, Star e George Kleine, todas sob o comando do próprio Edison. Juntas, elas exploravam 16 patentes de filmes, câmeras e projetores, e se constituíram num poderoso cartel no qual os produtores licenciados só podiam alugar seus filmes a distribuidoras licenciadas, que, por sua vez, só podiam distribuir seus produtos a exibidores igualmente licenciados. Fortalecendo ainda mais o oligopólio, a Eastman Kodak — líder do mercado norte-americano de filmes virgens — concordou em fornecer sua matéria-prima somente aos produtores associados ao chamado truste. Edison, como o detentor das patentes e organizador da MPPC, embolsou a maior parte do faturamento.

Uma severa rede de fiscalização evitou que produtores não licenciados utilizassem equipamento patenteado, ou que salas não autorizadas exibissem filmes da MPPC. Em pouco mais de três anos, o cartel controlava 5.281 das 9.480 salas de exibição

CAPÍTULO QUATRO: A GUERRA DAS PATENTES E OS GRANDES ESTÚDIOS 43

instaladas nos Estados Unidos. E as empresas menores, que não faziam parte do truste, desenvolveram, na medida do possível, estratégias alternativas para continuar sobrevivendo.

Em 1912, a até então inabalável MPPC sofreu sua primeira grande derrota. Woodrow Wilson, candidato do Partido Democrata às eleições presidenciais, acusou os Republicanos — então no poder — de favorecer comercialmente as grandes empresas em detrimento das pequenas, dificultando a livre concorrência. Seis semanas após os ataques de Wilson, os próprios Republicanos iniciaram um processo contra a MPPC com base numa Lei Antitruste de 1890. Foi a brecha para que pequenos empresários do setor, como William Fox e Carl Laemmle, também movessem suas ações. Após três anos de batalhas jurídicas, o Tribunal Federal dos Estados Unidos declarou ilegal a MPPC.

Tal episódio, que ficou conhecido como a Guerra das Patentes ou o Truste de Edison, teve profundas consequências no desenvolvimento do mercado internacional de cinema. Para compreendê-las melhor, é preciso entender o funcionamento da atividade cinematográfica na época. Em 1909, existiam nos Estados Unidos cerca de 6.000 locais de exibição de filmes, quase todos bastante precários, popularmente conhecidos como "poeiras" ou nickelodeons. Eram tendas, galpões ou salões sem estrutura, ainda bem distantes do que hoje conhecemos como salas de cinema, exibindo programas com cerca de 30 minutos, compostos por alguns curtas-metragens. O programa mudava diariamente, o que demandava uma média de 20 filmes por semana, por sala, quantidade nem sempre obtida satisfatoriamente pelos distribuidores. Não raro, os rolos de filmes chegavam riscados, partidos ou atrasados aos seus locais de exibição, até mesmo porque o nível de exigência do público era baixo. Com a atuação agressiva do truste, as empresas menores se viram obrigadas a agir, já que, pela primeira vez, enfrentavam uma concorrência efetiva e feroz. Assim, os estúdios ditos independentes, ou seja, fora da MPPC, passaram a combater o oligopólio com filmes melhores e mais conforto nas exibições, pois era de interesse dos poderosos fechar os pequenos e pouco confortáveis "poeiras" situados em bairros periféricos. O consórcio acenou com condições especiais para os exibidores que se dispusessem a mudar suas salas para bairros melhores, ou para o centro comercial das cidades, além de prometer vantagens também para quem mantivesse os filmes em cartaz por mais tempo. Em contrapartida, sugeria ainda que o preço do ingresso fosse dobrado, de 5 para 10 centavos de dólar, o que agradou ao poder público e à burguesia, ansiosos por um processo de gentrificação na atividade.

Com salas de exibição mais bem localizadas, mais confortáveis e mantendo por mais tempo os mesmos filmes em cartaz, o truste passou a investir em propaganda, anunciando filmes melhores, pré-censurados (a ideia era conquistar a simpatia da classe média conservadora) e cópias de melhor qualidade. Tudo isso fez com que os pequenos independentes também buscassem outros níveis de qualidade, ainda que dentro de suas limitações. Três empresas independentes se sobressaíram: a IMP (de Carl Laemmle), a New York Motion Picture Company (do trio Adam Kessel, Charles Baumann e Fred Balshofer) e a Powers (de Patrick Powers). Inadvertidamente, o truste gerou um tipo de antitruste, ou seja, a reunião de empresas independentes ou mesmo a criação de novas companhias cinematográficas que viam nos cinemas não licenciados um grande mercado potencial para suas atividades. Rex Film Company, Defender, Nestor

CAPÍTULO QUATRO: A GUERRA DAS PATENTES E OS GRANDES ESTÚDIOS 45

Company e várias outras também faziam parte das "independentes", denominação que passou a designar quem não pertencia à MPPC.

A guerra estava declarada. Na impossibilidade de utilizar equipamentos patenteados pelo truste, os independentes recorreram a modelos europeus, ou mesmo camuflavam suas filmadoras, operando na ilegalidade. Fugindo dos fiscais, começaram a filmar em locações mais distantes de Nova York, como Flórida, Arizona, Cuba e Califórnia. Em 1910, sob o comando de Laemmle, Kessel e Baumann, os independentes fundaram a MPDSC — Motion Picture Distributing and Sales Company —, que, já naquele mesmo ano, conseguiu oferecer aos cinemas não licenciados 27 filmes semanais. Contudo, a nova associação não se mostrou forte o suficiente para combater a MPPC e sofreu uma cisão interna: em 1912, Harry E. Aitken, distribuidor do estado de Wisconsin, organizou a Mutual Film Corporation, objetivando a compra de empresas de distribuição e a monopolização do setor. Dez produtores independentes se aliaram a Aitken, revoltando outros sete, que, para combatê-lo, fundaram a Universal Film Manufacturing Company, a qual sucedeu a MPDSC. Carl Laemmle, Adam Kessel, Charles Baumann e Patrick Powers eram os líderes da Universal, que, por sua vez, também sofreu um racha. Assim, Laemmle e Powers assumiram o controle da Universal, enquanto Kessel e Baumann fundaram a Keystone, ainda em 1912.

Mesmo com tal divisão de forças, os independentes mostraram poder de fogo. A concorrência com o truste elevou o nível de qualidade, tanto do conforto das salas como do apuro técnico e temático dos filmes. Em busca de qualidade e diferenciação, os independentes passaram a produzir filmes de três ou mais rolos de comprimento, enquanto Edison e seus associados insistiram em produtos de apenas um ou dois.

Iniciou-se também, por parte das empresas independentes, todo um sistema de divulgação dos nomes dos atores e atrizes dos filmes em cartaz, prática pouco comum até então. Como já se fazia no teatro, as empresas independentes passaram a destacar, nos cartazes promocionais e nas fachadas dos cinemas, os nomes dos intérpretes principais de seus filmes, enquanto os membros do Truste de Edison omitiam a informação ou batizavam suas estrelas genericamente; a canadense Florence Lawrence, por exemplo, aparecia como "The Biograph Girl". A estratégia era atrair para as empresas menores grandes estrelas e diretores cansados do anonimato. Impossibilitados de pagar tanto quanto o truste, os independentes encontraram o caminho da vaidade e da promoção para seduzir talentos. Foi dessa forma que a Biograph, integrante do cartel, perdeu vários nomes importantes, como a própria Florence e Mary Pickford (atrizes que se transferiram para a IMP), o diretor Mack Sennett (para a Keystone) e D.W. Griffith, que foi para a Mutual, já que a Biograph o impedia de realizar filmes com mais de dois rolos.

Assim, quando a justiça finalmente considerou ilegal o truste, em 1915, uma pequena revolução no cinema dos Estados Unidos já estava feita. Na tentativa de monopolizar o mercado, Edison e seus companheiros acabaram, na verdade, fortalecendo a concorrência. Os desconfortáveis "poeiras" se tornaram mais atraentes; a qualidade dos filmes melhorou; a classe média passou a se sentir mais seduzida pelos filmes; os atores, atrizes e cineastas passaram a ter seus trabalhos e seus nomes reconhecidos pelo público; e os pequenos empresários da indústria cinematográfica, em sua maioria imigrantes judeus proprietários de poeiras, transformaram-se na nova classe dominante do cinema, mais fortalecidos, razoavelmente unidos e muito mais experientes.

CAPÍTULO QUATRO: A GUERRA DAS PATENTES E OS GRANDES ESTÚDIOS 47

À exceção da Vitagraph e da Pathé, todas as empresas que faziam parte do Truste de Edison fecharam suas portas na virada dos anos 1910, incluindo o próprio Thomas Edison, que se retirou da atividade cinematográfica em 1917. Não por acaso, data exatamente da época do truste o início dos embriões que resultariam nos grandes estúdios de cinema dos Estados Unidos. Foram empresas que nasceram para concorrer com Edison e que cresceram junto com o gigantesco desenvolvimento que o mercado norte-americano experimentou como consequência da devastação europeia durante a Primeira Guerra Mundial.

Significativamente, o período compreendido entre 1908 (fundação da MPPC) e 1918 (final da guerra) marca a gênese das grandes companhias de cinema dos Estados Unidos, como se vê a seguir:

## IMP / UNIVERSAL

Décimo entre os treze filhos de uma família judia de classe média, Carl Laemmle nasceu na Alemanha, em 1867. Aos 17 anos, resolveu tentar uma vida melhor nos Estados Unidos, assim como milhares de conterrâneos seus faziam na época. Atuou em vários subempregos em Nova York e Chicago, até desembarcar na pequena Oshkosh, Wisconsin, onde trabalhou como gerente de uma loja de roupas, casou-se com a filha do dono da loja e retornou a Chicago, onde investiu na montagem de três cinemas "poeira", em 1906.

Descontente com o nível de qualidade das distribuidoras locais, Laemmle montou sua própria empresa de distribuição, a Laemmle Film Service, em 1907, e logo abriu escritórios em várias cidades norte-americanas e canadenses, alcançando os líderes do setor. Dois anos mais tarde, desafiando o Truste de Edison, entrou para o ramo da produção fundando a IMP — Independent Motion Picture Company. Mais que uma sigla, *imp*, em inglês, significa algo como diabinho, criança travessa.

Agressiva, a nova empresa passou a denunciar os métodos do truste, investiu na publicidade de seus filmes como nunca outro estúdio fizera até então e contratou nomes importantes da Biograph, como a atriz Florence Lawrence (apelidada "a garota das mil faces") e o diretor Thomas Ince. A fim de evitar represálias do truste, enviou seus talentos para Cuba, onde rodou seus filmes em sigilo. Em 1912, a cisão ocorrida nas empresas que formavam a Motion Picture Distributing and Sales Company (MPDSC) provocou o nascimento da Mutual Film Corporation — que congregou dez dessas empresas — e da Universal Film Manufacturing Company — que uniu outras sete —, incluindo IMP, Bison 101, Nestor e Powers. Logo Carl Laemmle e Patrick Powers assumiram o controle da nova empresa, após um breve período no qual Kessel e Baumann também eram seus sócios. No ano seguinte, em mais uma atitude pioneira, a Universal provocou o público com um tema polêmico, a escravidão branca, e lançou *Tráfico de Almas*. A produção, de pouco mais de 5 mil dólares, obteve um rendimento bruto em torno de meio milhão, abrindo definitivamente o caminho para a fama do nome Universal Pictures.

## Mutual / Keystone / Triangle

Fundada em 1912 por Harry E. Aitken, a Mutual Film Corporation nasceu do racha da MPDSC e, num primeiro momento, dedicou-se somente à distribuição. Boa parte de seu faturamento foi obtida pela Keystone, uma de suas subsidiárias na área de produção, também estabelecida em 1912. Os fundadores da Keystone (os ex-corretores de apostas Adam Kessel e Charles Baumann, que chegaram a ser sócios de Carl Laemmle e Patrick Powers nos primeiros momentos da Universal) levaram o mérito de tirar da Biograph talentos como os atores Fred Mace, Ford Sterling e Mabel Normand, e principalmente o diretor Mack Sennett, que, na Keystone, descobrira Charles Chaplin e o transformara em um dos maiores nomes da comédia cinematográfica mundial.

Chaplin e Roscoe "Fatty" Arbuckle no filme *Carlitos Dançarino* (1914), dirigido por Mack Sennett

Para se ter uma ideia, só no ano de 1914, Chaplin protagonizou mais de 30 curtas e um longa para a Keystone. Em 1915, a empresa foi absorvida pela Triangle Pictures, fundada pelo próprio Harry Aitken, e, dois anos mais tarde, Sennett deixou a companhia, juntamente com vários de seus astros, para se tornar produtor independente.

Como nem só da Keystone vivia a Mutual, em 1913 Aitken tirou D.W. Griffith da Biograph, acenando-lhe com a possibilidade de dirigir filmes mais longos e caros, como tanto ansiava o cineasta. No mesmo ano, Aitken se uniu a Adam Kessel e Charles Baumann, da Keystone, e fundou a Triangle Pictures, empresa que, em apenas três anos, obteve grande prestígio no mercado ao trabalhar com três dos maiores talentos da época: Griffith, Sennett e Ince.

Da nova parceria Aitken/Griffith, surgiu, em 1915, o filme considerado um dos grandes clássicos do cinema norte-americano e mundial: *O Nascimento de uma Nação*. Filho de um oficial confederado, Griffith era apaixonado pelos temas relacionados à Guerra Civil Americana, e entusiasmou-se com o texto racista do romance e da peça de teatro *The Clansman*, de Thomas W. Dixon. Em sua adaptação cinematográfica, Griffith deu um tom épico ao romance, valorizou as cenas de guerra, tratou os negros escravos como vilões e glorificou a Ku Klux Klan. Foram investidos 120 mil dólares no projeto, sendo metade para a produção e metade para a divulgação, embora mais tarde se alardeasse, para gerar publicidade, que o filme teria custado mais de um milhão de dólares. O resultado foi um épico de duas horas e meia com qualidade jamais vista até então nos Estados Unidos. Os ingressos para o filme subiram ao inédito patamar de 2 dólares.

De técnica apurada, linguagem inovadora e conteúdo racista, *O Nascimento de uma Nação* marcou época e gerou polêmica. O sucesso nas bilheterias incentivou a Mutual a produzir um novo projeto de Griffith: *Intolerância*. Para responder a quem o criticou, Griffith realizou outra superprodução, dessa vez tendo como tema a intolerância humana no decorrer dos séculos.

CAPÍTULO QUATRO: A GUERRA DAS PATENTES E OS GRANDES ESTÚDIOS    51

Abrangendo um período de quase três mil anos de História, o faraônico projeto demandou o cenário de uma cidade babilônica de mil metros de comprimento e 90 de altura, filmagens em balão, milhares de extras e outras excentricidades que teriam custado — os números são imprecisos — algo em torno de 2,5 milhões de dólares. Lançado em 1916, *Intolerância* mostrou-se de difícil compreensão para as plateias da época, e a bilheteria foi desastrosa. O fracasso comprometeu a carreira de Griffith e os negócios de Aitken. Com Mack Sennett e o próprio Griffith deixando a empresa, a Triangle fechou suas portas em 1918. A Mutual foi absorvida pela FBO — Film Booking Offices of America (mais tarde, RKO) — e Aitken se retirou do mercado em 1920.

Cena do polêmico *O Nascimento de uma Nação*, de D.W. Griffith

## Famous Players / Lasky / Paramount

Outro imigrante da Europa Oriental que naquele período se transformou em magnata do cinema foi Adolph Zukor, nascido na Hungria, em 1873. Desembarcando nos Estados Unidos aos 15 anos, seu início foi igual ao de milhares de imigrantes: viveu de pequenos empregos até constituir seu próprio negócio. Aos 30 anos, aventurou-se no próspero mercado das penny arcades e, em 1912, enriqueceu ao se tornar distribuidor exclusivo para os Estados Unidos do drama francês de grande sucesso *Les Amours de la reine Élisabeth*.

Inspirado no cinema de arte francês, Zukor abriu, então, sua produtora, a Famous Players, que adotou o lema "Famous Players in Famous Plays" (Atores Famosos em Peças Famosas), com a intenção de transpor para a tela peças teatrais que faziam sucesso na Broadway. Os resultados não foram marcantes, mas conferiram ao cinema um status artístico importante para a época. Em 1916, Zukor associou-se à Jesse L. Lasky Feature Play Company, formando a Famous Players-Lasky Corporation. A Jesse L. Lasky havia sido fundada, em 1913, por três homens que mais tarde fariam história no cinema: Cecil B. DeMille, Samuel Goldfish e o próprio Jesse K. Lasky, que deu seu nome à empresa.

Americano, Cecil Blount DeMille estreou ainda adolescente como ator de teatro, passando mais tarde a administrar uma pequena companhia teatral de sua mãe. Em 1913, associou-se a Jesse Lasky e Samuel Goldfish, e fundou a empresa com o nome de Lasky.

Já o polonês Samuel Goldfish foi tentar a vida nos Estados Unidos, onde se casou com Blanche Lasky, irmã de Jesse. Foi Goldfish quem convenceu Lasky a trocar os espetáculos teatrais

CAPÍTULO QUATRO: A GUERRA DAS PATENTES E OS GRANDES ESTÚDIOS

pelo cinema, fundando assim, em 1912, a Jesse L. Lasky Feature Play Company, com o próprio Lasky como presidente, Cecil B. DeMille como diretor artístico e Samuel Goldfish como diretor administrativo. A nova empresa já estreou com sucesso, lançando o western *Amor de Índio* (1914), de grande aceitação popular. Dois anos depois, a Lasky se fundiu com a Famous Players, de Adolph Zukor, originando a Famous Players-Lasky Corporation e gerando fortes conflitos pessoais entre Goldfish e Zukor. Naquele mesmo ano de 1916, Goldfish saiu da sociedade e se tornou produtor independente.

Em 1930, a razão social Famous Players-Lasky Corporation foi substituída por um nome mercadologicamente mais atrativo — Paramount —, tomado por empréstimo da distribuidora Paramount Pictures (fundada em 1914 por W.W. Hodkinson), um dos vários pequenos negócios que foram absorvidos pelo grupo de Lasky e Zukor.

Sobre o sócio dissidente, Samuel Goldfish se associou a Edgar Selwyn, que, em 1912, fundara a All-Star Feature Films Company. A fusão das empresas de Goldfish e Selwyn originou a Goldwyn Pictures Corporation (inicialmente registrada como Goldwyn Producing Corporation), em 1917, com o primeiro apostando na empreitada tão entusiasticamente que, no ano seguinte, alterou legalmente seu nome para Samuel Goldwyn.


## Fox

Em 1879, o húngaro Wilhelm Fuchs (então com nove meses de idade), os pais e doze irmãos migraram para os Estados Unidos em busca do sonho americano. Após ter seu nome alterado na imigração para William Fox, o jovem Wilhelm passou a sobreviver de vários pequenos empregos até os 25 anos, quando comprou e reformou um decadente penny arcade, no qual passou a apresentar filmes e pequenos shows. O negócio prosperou, transformou-se numa rede de 15 salas e na distribuidora The Greater New York Rental Company. Em 1912, fundou outra empresa, a Box Office Attractions Company, com o objetivo de produzir filmes, e, três anos depois, unificou seus negócios sob a razão social Fox Film Corporation.

Alguns dos atores e atrizes da Fox tornaram-se lendas da sua época, como William Farnun, Betty Blythe, Annette Kellerman (atriz e atleta conhecida por suas habilidades como nadadora e apelidada "A Divina Vênus") e — principalmente — Theda Bara e Tom Mix, dois exemplos pioneiros da construção holly-woodiana do mito no cinema.

A primeira teve sua imagem inventada pela Fox como a de uma mulher mística, nascida no Saara, filha de um artista fran-cês com sua amante egípcia. Mas, na verdade, Theda Bara era apenas o pseudônimo da norte-americana Theodosia Good-man, filha de um alfaiate, jovem atriz desconhecida que alcan-çou o estrelato imediato ao interpretar uma mulher fatal em *Escravo de uma Paixão* (1915). Apelidada "The Vamp", Theda recebia a imprensa num quarto especialmente cenografado com caveiras, escravos, corvos e uma serpente. Estrelou mais de quarenta filmes entre 1914 e 1919, quase sempre no papel de mulheres fatais, como Carmen, Madame Du Barry, Salomé ou Cleópatra.

Já Tom Mix era anunciado pela Fox como um heroico cau-bói filho de um oficial da Cavalaria, veterano da Guerra His-pano-Americana e de outras revoluções. Mas, na verdade, ele era Thomas Hezikiah, tendo adotado o sobrenome Mix em

CAPÍTULO QUATRO: A GUERRA DAS PATENTES E OS GRANDES ESTÚDIOS

homenagem à Mix Run, sua pequena cidade natal, na Pensilvânia. Tom abandonou a escola ainda no curso básico, serviu à Cavalaria, mas desertou. Hábil com cavalos e campeão de rodeio (o pai trabalhou como cavalariço para um rico madeireiro), atuou em mais de 100 filmes entre 1911 e 1917, tornando-se o caubói mais famoso do cinema mudo.

A empresa se transformou em 20th Century Fox em 1935, com a fusão da Fox com a 20th Century, fundada dois anos antes por Joseph M. Schenck e Darryl F. Zanuck.

### United Artists

Depois de conhecer a fama e a fortuna na Keystone (em 1914), na Essanay (1915), na Mutual (1916 e 17) e na First National (1918), Charles Chaplin fundou sua própria distribuidora. Capital não faltava. Afinal, na Keystone — distribuidora na qual atuou em 35 filmes —, ele recebia 1.250 dólares semanais. Na Essanay, seu salário subiu para 5.000 e, na Mutual, quebrou todos os recordes da época, com 10 mil semanais, mais um bônus de 150 mil. Em 1918, um novo contrato, agora com a First National, lhe garantiu 1 milhão de dólares por oito filmes de dois rolos cada. No ano seguinte, Chaplin se reuniu a outros três mitos do período — D.W. Griffith, Mary Pickford e Douglas Fairbanks — para fundar a United Artists, com o objetivo de aprimorar os sistemas de distribuição do mercado cinematográfico.

Douglas Fairbanks — outro dos "artistas unidos" fundadores da United — é o nome artístico de Douglas Elton Ullman, jovem talento que estreou no teatro aos 19 anos e, em pouco tempo, se tornou um dos mais admirados atores da Broadway. Estreou no cinema em 1915, aos 32 anos, e logo no ano seguinte fundou sua própria empresa, a Douglas Fairbanks Film Corporation. Em 1920, Fairbanks se casou com Mary Pickford, na época também uma grande estrela que já havia passado pela Biograph, IMP, Majestic, Famous Players e First National, até fundar sua própria Mary Pickford Company.

Foto promocional de Mary Pickford

Durante os anos do cinema mudo, a United Artists obteve bons lucros e prestígio distribuindo filmes de qualidade não somente de seus proprietários, mas de outras estrelas da época, como Rodolfo Valentino, Buster Keaton e Gloria Swanson. No entanto, o cinema falado trouxe novos ídolos, comprometendo as carreiras de seus sócios e da empresa.

Os filmes de Griffith rodados nos anos 20 e 30 não alcançaram o sucesso desejado e, gradativamente, ele começou a vender as ações que detinha da empresa. Dos quatro fundadores, Chaplin foi o único que prolongou seu sucesso, realizando clássicos como *A Corrida do Ouro* (1925) e *O Circo* (1928), entre muitos outros, resistindo contra o advento do som no cinema. Acusado de ser comunista, acabou expulso dos Estados Unidos em 1952 e, um ano depois, juntamente com a sócia remanescente, Mary Pickford, vendeu a United.

## COLUMBIA

A trajetória do magnata de Hollywood, Harry Cohn, é bem similar à de outros grandes donos de estúdio. Filho de um alfaiate judeu-alemão e mãe polonesa, abandonou a escola e viveu de pequenos serviços até ingressar no mundo do show business. Começou a carreira como cantor de teatro de variedades em 1912, aos 21 anos de idade. Seis anos depois, seu irmão Jack — supervisor de produção da IMP/Universal — conseguiu para ele um emprego de, nada mais, nada menos, secretário particular do dono da empresa, Carl Laemmle.

Em 1920, Harry e Jack Cohn se associaram a outro empregado de Laemmle, o advogado Joe Brandt. Juntos, combinaram as iniciais de seus sobrenomes e fundaram a CBC Film Sales Corporation. Irônicos, os concorrentes chamaram a CBC de Corned Beef and Cabbage (carne enlatada e repolho), o que fez Harry mudar a razão social para Columbia Pictures Corporation, em 1924. O primeiro sucesso veio em 1927, com o drama *O Navio Sangrento* abrindo o caminho daquela que viria a ser uma das maiores empresas de Hollywood de todos os tempos.

## Metro-Goldwyn-Mayer (MGM)

Entre todas as intrincadas formações dos grandes estúdios, a mais repleta de nuances é a da Metro-Goldwyn-Mayer. Para compreendê-la, é preciso conhecer um pouco a vida de Louis B. Mayer e Marcus Loew.

O russo Eliezer Mayer, que mais tarde adotaria o nome artístico de Louis B. Mayer, emigrou, ainda garoto, para os Estados Unidos, onde se estabeleceu no ramo da sucata. Entrou para o mundo do cinema em 1907, comprando uma pequena sala de exibição de filmes na região da Nova Inglaterra. Em 1914, enriqueceu distribuindo o sucesso *O Nascimento de uma Nação* e, quatro anos depois, fundou sua própria companhia, a Louis B. Mayer Pictures.

Marcus Loew, filho de imigrantes judeus, tentou vários negócios até se estabelecer como dono de salas de exibição. Em 1912, sua empresa, a Loew's Theatrical Enterprises, já contava com cerca de 400 salas, e na virada da década, para fornecer filmes a seus próprios cinemas, Loew comprou a Metro Pictures, um pequeno estúdio fundado em 1917.

Na mesma época, a Goldwyn Pictures, estúdio formado em 1917 por Edgar Selwyn e Samuel Goldfish, não conseguiu obter sucesso comercial. Samuel, então, deixou a empresa e, em 1923, montou a Samuel Goldwyn Productions, sem sócios, produzindo a primeira versão de *Ben-Hur* (1926), grande clássico da era muda.

Apenas em 1924, a Metro, a Louis B. Mayer Pictures e a Goldwyn Pictures se fundiram para criar a Metro-Goldwyn-Mayer (MGM), tendo Marcus Loew no comando geral, Louis B. Mayer na primeira vice-presidência e Irving Thalberg como vice-presidente de produção. Com exibições garantidas na rede de cinemas de Loew, o sucesso aconteceu de forma rápida e segura, mas deixou no ar uma grande ironia: Samuel Goldwyn, que já havia deixado a Goldwyn Pictures quando a fusão foi realizada, jamais participou como acionista da MGM, embora seu nome seja divulgado até hoje por meio do famoso logotipo da empresa. E o produtor Irving Thalberg, um dos grandes responsáveis pelo sucesso do novo estúdio, jamais fez parte da razão social.

# CAPÍTULO CINCO

## Consequências da Primeira Guerra Mundial

A desestabilização social e econômica da Europa, advinda da Primeira Guerra Mundial, foi decisiva para a ascensão dos Estados Unidos à liderança absoluta do mercado internacional de cinema. O conflito proporcionou o preenchimento, pelos norte-americanos, de todas as brechas que os produtores franceses, italianos e ingleses, tanto em seus mercados internos como nos externos, deixaram abertas como consequência da guerra.

Os filmes norte-americanos entraram, então, de maneira incisiva nos cinemas do Japão (onde antes predominavam os italianos), nos circuitos latino-americanos (anteriormente dominados pelos franceses), além de conquistarem solidamente seu próprio mercado interno, até então nas mãos da Pathé Frères. Em apenas um ano, de 1915 para 1916, as exportações dos filmes norte-americanos multiplicaram-se por cinco, considerando-se a metragem total das películas.

Diferentemente do que se poderia supor, a quantidade de longas-metragens produzida por países europeus não diminuiu nos anos de guerra, pelo contrário, até porque foi exatamente nesse período — os anos 1910 — que o longa se estabeleceu e se firmou como formato predominante da indústria. Contudo, percebe-se, no crescimento espantoso da produção de longas norte-americanos, a desproporção da concorrência Europa *versus* Estados Unidos, conforme mostra o quadro abaixo:

| LONGAS-METRAGENS PRODUZIDOS | | | | |
|---|---|---|---|---|
| Ano | Itália | Reino Unido | Alemanha | Estados Unidos |
| 1913 | 29 | 18 | 49 | 12 |
| 1914 | 16 | 15 | 29 | 212 |
| 1915 | 39 | 73 | 60 | 419 |
| 1916 | 57 | 107 | 107 | 677 |
| 1917 | 37 | 66 | 117 | 687 |
| 1918 | 46 | 76 | 211 | 841 |
| 1919 | 151 | 122 | 345 | 646 |

Os Estados Unidos, que finalizaram 12 longas em 1913 — portanto, antes do início da guerra —, produziram um número 70 vezes maior em 1918, o último ano do conflito. A média norte-americana de longas produzidos entre 1914 e 1918 foi de um filme e meio a cada dia, sem contabilizar os curtas.

Além do conflito mundial, o crescimento populacional e industrial dos Estados Unidos e as altas taxas de imigração, somados à decadência de importantes empresas cinematográficas francesas (Pathé e Méliès foram derrotados junto com o Truste de Edison), ajudaram a contextualizar a inversão do eixo da produção cinematográfica mundial daquele momento, que saiu das mãos da França e se estabeleceu definitivamente nos Estados Unidos. Estima-se que, no final da Primeira

Guerra Mundial, os norte-americanos dominavam 85% do mercado internacional de cinema e 98% do mercado interno, com sua indústria cinematográfica tornando-se o quinto maior setor econômico do país.

Se durante os primeiros anos do século 20 os franceses se esmeraram como nenhum outro país na produção de filmes, os Estados Unidos se dedicaram, da mesma forma, ao estabelecimento de salas de projeção, já que o mercado consumidor norte-americano se tornara, nesse período, muito maior que o europeu. Calcula-se que um filme médio produzido pela Pathé requeria cerca de 10 cópias para ser distribuído satisfatoriamente em todo o território francês, e de 50 cópias para cobrir o continente europeu. Porém, para que esse mesmo filme suprisse a demanda do mercado norte-americano, eram necessárias 200 cópias. Logo se percebeu que tal paradoxo econômico-financeiro — com a produção na França e o consumo do outro lado do Atlântico — não se sustentaria, e os Estados Unidos assumiram as rédeas produtivas da indústria, favorecidos pela reconstrução do pós-Primeira Guerra.

Não por acaso, nessa mesma época, solidificaram-se os grandes magnatas do cinema norte-americano, uma casta formada por poucos homens de origem humilde desembarcados na América no início do século 20, que tentaram a sorte construindo pequenos "poeiras" nas inchadas metrópoles de Nova York e Chicago, que combateram com ímpeto o nefasto cartel de Thomas Edison e vislumbraram as oportunidades abertas pela guerra na Europa.

Homens que, em poucos anos, enriqueceram construindo impérios do entretenimento e forjando um nome que se tornaria mítico em todo o planeta: Hollywood.

## Surge Hollywood

Grande e poderosa demais para permanecer restrita à Nova York e à Costa Leste, a indústria cinematográfica norte-americana iniciou, na segunda metade dos anos 1910, uma expansão para a Costa Oeste.

Com as salas de exibição do mundo inteiro ansiosas por mais e melhores filmes, as filmagens realizadas na Costa Leste, periodicamente interrompidas por nevascas e chuvas, não conseguiam mais suprir a demanda. O inchaço urbano também provocou o encarecimento dos terrenos e da mão de obra na região. Nesse cenário, a Califórnia se apresentou como opção atrativa para os donos dos estúdios, pois, além de custos mais baixos e sol o ano inteiro, a região também apresentava uma atraente diversidade de cenários naturais para filmagens, como vales, desertos, rios, montanhas, lagos, oceano e formações rochosas distantes poucos quilômetros entre si. A presença no lugar de um centro urbano desenvolvido — Los Angeles, na época com 320 mil habitantes — proporcionou o apoio logístico necessário e mão de obra, ainda não sindicalizada, até 50% mais barata que a de Nova York. A distância dos grandes centros também serviria para dificultar a ação do exército de fiscais do Truste de Edison.

Assim, a partir dos anos 1910, as empresas cinematográficas mantiveram os escritórios em Nova York e transferiram suas unidades produtivas para a Califórnia, mais especificamente no sopé das montanhas de Santa Mônica, num subúrbio de terrenos baratos chamado Hollywood, de fácil acesso à área central de Los Angeles. O quadrilátero formado por Sunset Boulevard, Melrose, Gower Street e Western Avenue acolheu, então, a maior concentração de astros, estrelas e cineastas do planeta, e, já no início dos anos 1920, a palavra Hollywood se confundiu com o próprio conceito de cinema.

O lugar se tornou uma espécie de Meca da fama, visto com ambição e ansiedade por quem buscava o estrelato, e com desconfiança e reprovação pelos conservadores. O livro *What Chance Have I in Hollywood?* (*Que Chance Eu Tenho em Hollywood?*, em tradução livre), de Marilynn Conners, publicado em 1924, alardeava, em tom fatalista, que todos os anos 5 mil garotas supostamente desapareciam de Hollywood, tendo como destino bordéis, casas de ópio e a fronteira mexicana.

A fama da excessiva liberalidade hollywoodiana assumiu contornos trágicos com duas mortes não suficientemente esclarecidas: a da atriz Virginia Rappe, em uma festa que se prolongou durante todo um feriado; e a do diretor William Desmond Taylor, encontrado morto em sua casa, em circunstâncias misteriosas.

A atriz Virginia Rappe, morta em 1921,
em circunstâncias nunca esclarecidas

CAPÍTULO CINCO: CONSEQUÊNCIAS DA PRIMEIRA GUERRA MUNDIAL

Na tentativa de proporcionar à atividade cinematográfica ares menos mundanos e mais nobres, em 1927, produtores da área fundaram, em Los Angeles, a Academy of Motion Picture Arts and Sciences (Academia de Artes e Ciências Cinematográficas), nome pomposo que visava conter os ânimos moralistas e elevar o cinema a algum suposto nível acadêmico, artístico e científico. A mesma Academia passou a conferir, a partir de 1929, uma premiação anual que entrou para a história com o nome de Oscar. Era necessário conferir alguma dignidade ao tão combatido cinema.

## O SURREALISMO

Terminada a Primeira Guerra Mundial e instalados os conceitos básicos do socialismo/comunismo por meio da Revolução Russa de 1917, o mundo ingressou naquilo que se convencionou chamar de "Os Loucos Anos 20". Por que "Loucos"? Basicamente, porque o planeta nunca mais seria o mesmo após o gigantesco trauma destruidor do primeiro grande conflito mundial, tampouco depois da disseminação das ideias preconizadas pela Revolução Comunista.

A euforia do pós-guerra e a possibilidade de um mundo mais igualitário e menos injusto acenderam, na sociedade daquela época, um profundo desejo por mudanças totais e radicais, de ruptura completa com tudo o que já estava sedimentado e cristalizado dentro de uma forma antiga de se viver e pensar.

Tais anseios começaram a se refletir artisticamente. Em 1924, o poeta e psiquiatra francês André Breton lançou as bases do Surrealismo, uma nova e contestatória corrente cultural envolvendo arte e literatura. Uma de suas principais características era o desprezo pelo pensamento logicamente encadeado, ao mesmo tempo que valorizava o inconsciente, o irracional e o sonho. O Surrealismo surgiu, direta e fortemente, influenciado pela Psicanálise, que, naquele momento, começava a conquistar seguidores e apreciadores pelo mundo inteiro de forma marcante, principalmente em função das recentes descobertas de Sigmund Freud, segundo o qual o homem deve libertar sua mente da lógica imposta pelos padrões comportamentais e morais estabelecidos pela sociedade, dando, assim, vazão aos sonhos e às informações do inconsciente.

A carnificina da Primeira Guerra apontou para o fracasso das instituições, de maneira que não era mais possível esperar que a arte continuasse estática e racional. Era preciso que ela transcendesse a razão e a lógica, e que ultrapassasse a falência do racional em relação à barbárie que a guerra representara.

Como o momento histórico pedia, o Surrealismo buscava uma renovação total dos valores artísticos, morais, políticos e filosóficos, objetivando uma mudança completa da arte, da cultura e da própria vida.

Além de Breton, tornaram-se nomes importantes do Surrealismo o dramaturgo Antonin Artaud, o poeta e cineasta Jean Cocteau, o escultor italiano Alberto Giacometti, o pintor espanhol Juan Miró, o belga René Magritte, o alemão Max Ernst, os escritores franceses Paul Éluard, Louis Aragon e Jacques Prévert, além dos artistas espanhóis Luis Buñuel e Salvador Dalí. Esses dois últimos são os autores do curta-metragem *Um Cão Andaluz*, de 1929, que inaugurou o Surrealismo no cinema. De linguagem extremamente cifrada e fragmentada, o filme se tornou cult e representa o marco histórico do movimento, embora, por motivos óbvios, jamais tenha atingido o grande público. E nem era esse o objetivo.

No ano seguinte, a dupla realizou o longa *A Idade do Ouro*, fixando, definitivamente, as bases surrealistas no cinema. Com o filme, Dalí praticamente encerrou sua atividade cinematográfica (à exceção de esporádicas contribuições artísticas), passando a se dedicar quase totalmente às artes plásticas.

Salvador Dalí em foto de 1939

E Buñuel se firmou como o grande representante do movimento na tela do cinema, dirigindo grandes obras, como *O Anjo Exterminador* (1962), *A Bela da Tarde* (1967), *O Discreto Charme da Burguesia* (1972) e *Este Obscuro Objeto do Desejo*, seu último filme, de 1977.

# CAPÍTULO SEIS

# O Expressionismo Alemão

Vampiros, mortos-vivos, sombras, medo, temas relacionados à morte... O gênero terror, um dos favoritos do grande público, é um dos mais antigos da história do cinema. E seu nascimento não ocorreu nem na sombria Londres, nem na violenta Nova York, e sim na sofrida Alemanha da época da Primeira Guerra Mundial.

Os filmes produzidos na Alemanha só começaram a ganhar algum impulso a partir dos anos 1910, quando o austríaco Max Reinhardt, importante produtor e diretor teatral, iniciou um movimento de valorização do cinema como arte. Na época, filmar era considerada uma atividade marginal, apenas um entretenimento popular para exibição em circos e feiras de variedades. Reinhardt, inspirado pelo movimento francês Film d'Art, que visava à valorização artística e cultural do cinema, decidiu fazer o mesmo em seu país. Associou-se ao produtor Paul Davidson e deu início à produção de filmes com maior qualidade artística.

A empreitada encontrou eco em outros produtores alemães, e, num curto período de tempo, alguns trabalhos nascidos desse novo pensamento, ainda que não alcançando o grande público, demonstraram expressiva qualidade e colocaram a Alemanha no mapa da cinematografia mundial. Os filmes alemães passaram a atrair novos talentos e também a criar suas estrelas, como a dinamarquesa Asta Nielsen, Henny Porten (que iniciou sua carreira nos filmes de Oskar Messter e é considerada a primeira grande diva do cinema alemão) e Paul Wegener, ator de vasta experiência nos palcos.

Entre 1913 e 1914, o cinema alemão produziu uma trilogia que é considerada não apenas a gênese do gênero terror, como também a matriz do estilo que viria a se espalhar com enorme sucesso por todo o mundo: *Der Andere* (1913), *Der Student von Prag* (1913) e *Der Golem* (1915) fizeram da Alemanha o berço dos filmes de terror. *Der Andere*, de Max Mack, mostra um respeitado advogado que se transforma, inconscientemente, num ladrão profissional, para depois tornar a se converter num homem de respeito. O filme levou para as telas as influências dos clássicos *O Duplo*, que Dostoievski publicou, em 1846, e *O Médico e o Monstro*, escrito pelo escocês Robert Louis Stevenson, em 1886.

Lançado seis meses depois de *Der Andere*, *Der Student von Prag* é estrelado e codirigido (ao lado do dinamarquês Stellan Rye) por Paul Wegener, ator recorrente nas peças produzidas por Reinhardt. Inspirada em *Fausto*, de Goethe, a trama fala de um jovem estudante que se apaixona por uma condessa e faz um pacto com um misterioso mágico para conquistar o amor da moça. Ainda enquanto filmava *Der Student von Prag*, em locações na cidade de Praga, Wegener tomou contato com uma lenda judaica do século 16, segundo a qual um rabino havia construído um homem de argila que, magicamente, teria ganhado vida.

Mas algo dá errado e o monstro deve ser destruído. Fascinado pela história, Wegener fez uma parceria com o austro-húngaro Henrik Galeen, e ambos escreveram e dirigiram, ainda em 1914, o filme *Der Golem*, com base nessa lenda, lançado em 1915 com o próprio Wegener no papel principal.

Foi em meio a tanta efervescência criativa que, no dia 28 de junho de 1914, em Sarajevo, um atentado matou o arquiduque Franz Ferdinand da Áustria, dando início à Primeira Guerra Mundial. A Alemanha estava no olho do furacão do conflito. O impacto da guerra foi imediatamente sentido no país, que viu sua produção cinematográfica cair de 49 longas produzidos em 1913 para 29 logo no ano seguinte.

Porém, sendo a propaganda de maneira geral, e o cinema em particular, ferramentas indispensáveis para as estratégias de comunicação em tempos de guerra, os filmes não pararam. Governo e estúdios cinematográficos alemães de grande importância se mobilizaram para fundar, em 1917, a UFA — Universum Film Aktien Gesellschaft —, entidade criada com o objetivo de reduzir o impacto da destruição bélica sobre a indústria do cinema, tentar evitar ao máximo a perda de mercado e valorizar o filme nacional como linguagem, negócio e informação. A iniciativa deu certo, com a produção não só se mantendo em plena atividade nas mais de 2.000 salas de exibição do país, como também batendo seus próprios recordes e contabilizando 117 longas lançados em 1917 e 211 no ano seguinte.

A assinatura do armistício, em 11 de novembro de 1918, pôs fim à guerra, mas o Tratado de Versalhes, em 28 de junho de 1919, deu início a um humilhante processo de depressão financeira, política e moral da Alemanha, país apontado como o grande causador do conflito e obrigado a aceitar uma série de sanções

CAPÍTULO SEIS: O EXPRESSIONISMO ALEMÃO

nas mais diversas áreas. Nos campos de batalha, o país teve 1,8 milhão de militares mortos, 4,2 milhões de feridos e 1,1 milhão de presos ou desaparecidos. Estima-se em 750 mil os civis mortos, não somente em consequência de ações bélicas, mas principalmente vitimados por doenças e pela fome que se alastraram pelo país, mesmo após o término da guerra. Parte considerável do território alemão, incluindo terras férteis e minas de carvão, foi dividida entre França, Bélgica, Dinamarca e Polônia, e quase a totalidade de seus navios mercantes foi entregue à Inglaterra, França e Bélgica. O valor da dívida, fixado pela recém--criada Liga das Nações, somou 33 bilhões de dólares, em números da época.

A profunda depressão que se abateu sobre a Alemanha, em todos os sentidos, se fez sentir em seus filmes. Assim como já havia acontecido com a pintura, o cinema também aderiu ao Expressionismo, corrente artística que prioriza a representação dos sentimentos do autor da obra, desprezando a simples descrição objetiva da realidade. Em outras palavras, expressou-se então nas telas — sejam as de pintura, sejam as de cinema — o que a alma sente, e não o que os olhos veem. Diante de tanta depressão, não foi por acaso que os filmes expressionistas alemães do pós-Primeira Guerra manifestaram-se com marcada estilização de cenografia, luzes e personagens. Deliberadamente artificiais, os cenários foram pintados de forma distorcida, fora de perspectiva. As angulações de câmera enfatizaram o fantástico e o grotesco, o contraste de luzes e sombras tornou-se mais forte, e as interpretações dos atores, teatralmente histriônicas. Em seus temas, estavam presentes loucuras, aberrações, pesadelos, enfim, o horror. O Expressionismo foi a forma alemã de ver o mundo destruído.

A obra que inaugurou e que se constituiu num dos mais importantes símbolos do Expressionismo Alemão no cinema foi *O Gabinete do Dr. Caligari* (1920), de Robert Wiene. Verdadeira viagem a um universo louco e distorcido de formas e sombras, o filme mostra um hipnotizador e um sonâmbulo que chegam a um pequeno vilarejo e logo se tornam suspeitos dos assassinatos que passam a acontecer no lugar. Inquietante e perturbador, *O Gabinete do Dr. Caligari* mostra cenários propositalmente pintados fora de perspectiva, móveis que não se encaixam na anatomia humana, um forte jogo de luzes e sombras, e uma aberta discussão sobre sanidade e loucura, transformando-se numa das obras mais importantes do século.

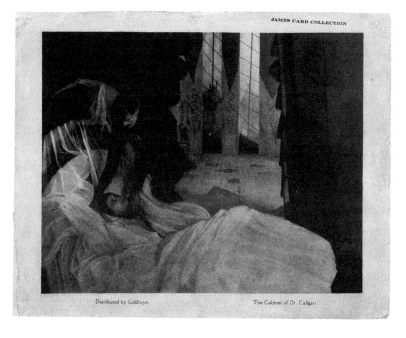

Cena de *O Gabinete do Dr. Caligari*

CAPÍTULO SEIS: O EXPRESSIONISMO ALEMÃO

O Expressionismo foi construído com o talento e o gênio criativo de alguns dos mais representativos cineastas do período, como o já citado Paul Wegener, Paul Leni, Fritz Lang e F.W. Murnau, juntamente com o escritor Carl Mayer, os cinegrafistas Karl Freund e Fritz Wagner, além dos desenhistas de produção Hermann Warm, Walter Röhrig, Robert Heruth e Otto Hunte.

Paul Leni, que havia trabalhado com Max Reinhardt como cenógrafo, entrou para o cinema como desenhista de produção, tornando-se, mais tarde, o elogiado diretor de *Hintertreppe* (1921) e *Figuras de Cera* (1924), este último um aclamado estudo sobre a tirania, com Conrad Veidt no papel de Ivan, o Terrível, e Werner Kraus interpretando Jack, o Estripador. Em 1927, Leni foi contratado pela norte-americana Universal, na qual dirigiu o clássico *O Gato e o Canário* (1927).

A América do Norte também seduziu Murnau e Fritz Lang. O primeiro, assim como vários de seus colegas expressionistas, trabalhou no teatro de Reinhardt como ator e assistente de direção. Piloto de combate durante a guerra, Friedrich Wilhelm Plumpe adotou o nome artístico de F.W. Murnau e estreou no cinema em 1919. É de 1922 o seu filme mais famoso — *Nosferatu* —, primeira adaptação para o cinema do livro *Drácula*, de Bram Stoker. Dois anos depois, realizou *A Última Gargalhada*, ratificando seu domínio pleno da linguagem cinematográfica. Em 1927, Murnau emigrou para os Estados Unidos e realizou para a Fox o drama romântico *Aurora*, outro grande clássico da era muda, repleto de fusões, efeitos, cortes e movimentações inovadoras. Morreu em um acidente de carro em 1931, aos 42 anos, uma semana antes da estreia de *Tabu*, seu quarto e último filme americano depois de *Aurora*, *Os Quatro Diabos* (1928) e *O Pão Nosso de Cada Dia* (1930).

Já o austríaco Fritz Lang iniciou sua carreira no desenho e na pintura. Percorreu Alemanha, França, Rússia, China, Norte da África, Japão e Indonésia, sustentando-se em subempregos. Em 1913, aos 23 anos, retornou a Paris, trabalhou como desenhista de moda e cartunista, e lutou na guerra como soldado austríaco. Após o conflito, começou a escrever pequenas histórias e roteiros para cineastas alemães, até conseguir dirigir seus primeiros filmes. O primeiro sucesso foi *Die Spinnen* (1919), seguido por *A Morte Cansada* (1921) e o importante *Dr. Mabuse, o Jogador* (1922), sobre um criminoso que pretende dominar Berlim.

Em 1926, Lang foi aos Estados Unidos conhecer os métodos de produção do país, tomou contato com o desenvolvimento de Nova York e, na volta, realizou sua obra máxima: *Metrópolis* — até então, o filme mais caro já feito na Alemanha. Com roteiro de Thea von Harbou, sua esposa, criou uma visão violenta, futurista e pessimista do homem dominado pelo trabalho, e de uma luta de classes que desagradou a Paramount, a distribuidora internacional, que acabou exigindo vários cortes. Seu primeiro filme falado, *M, o Vampiro de Dusseldorf* (1931), transformou-se em mais um clássico.

Porém, com a ascensão do nazismo, Lang foi convidado para dirigir o cinema oficial alemão. Judeu, fugiu para os Estados Unidos, onde desenvolveu uma brilhante carreira até 1960.

# CAPÍTULO SETE

# O IMPRESSIONISMO FRANCÊS

Mesmo sendo um dos países que venceram a Primeira Guerra Mundial, a França também sofreu traumas profundos em sua sociedade e economia, vitimada pelo rastro de destruição deixado pelo conflito. A desestabilização europeia e o fortalecimento econômico dos Estados Unidos — ambos fatores consequentes da guerra — consolidaram definitivamente o processo de troca da liderança do mercado cinematográfico mundial, antes em poder dos franceses e agora totalmente em mãos norte-americanas.

A França tentou recuperar, pelo menos, parte do terreno perdido para os Estados Unidos com a implantação de leis de reserva de mercado que buscavam proteger o filme francês, mas a situação econômica mundial, de total prevalecimento norte-americano, se mostrou mais eficiente que qualquer mudança na legislação.

Foi nesse contexto de busca por caminhos do desenvolvimento da cinematografia local que um grupo de intelectuais traçou as bases do movimento estético conhecido como Impressionismo Francês. O poeta, escritor e ativista cultural de vanguarda italiano

Guillaume Apollinaire, juntamente com o escritor e poeta suíço Blaise Cendrars, ambos radicados em Paris, perceberam na crise a oportunidade de uma revitalização do cinema francês e aliaram-se a um grupo de cineastas do país para propor um novo modo de fazer filmes. A ideia era elevar o cinema — até então visto como uma forma de expressão eminentemente popular — à categoria de arte. A proposta, por si só, não era exatamente inédita, pois, em 1908, Paul Lafitte fundara a Le Film d'Art, empresa que tinha como objetivo levar às telas somente adaptações de grandes obras de reconhecido valor literário ou teatral, emolduradas por cenários criados por grandes pintores, interpretadas por atores teatrais, com trilhas sonoras encomendadas a renomados compositores, tudo em busca dos valores artísticos do cinema.

Três anos mais tarde, o teórico e crítico italiano de cinema Ricciotto Canudo, também radicado em Paris, publicou o texto "La Naissance d'un sixième art. Essai sur le cinematografe", classificando o cinema como uma "sexta arte", ao lado da pintura, literatura, teatro, arquitetura e música. O texto foi reescrito e reeditado em 1923 como "Réflexions sur le septième art", agora incluindo a dança e consolidando o conceito do cinema como sétima arte, em voga até hoje.

O pós-Primeira Guerra revelou-se, então, um período dos mais propícios para o florescimento desse viés artístico do cinema, com o movimento impressionista sendo empreendido, principalmente, pelos cineastas Louis Delluc, Marcel L'Herbier, Jean Epstein, Jacques Feyder, Abel Gance e Germaine Dulac.

À exceção de Gance, rapaz de classe média baixa que abandonara a escola aos 14 anos de idade e se tornara autodidata, os demais nomes-chave do Impressionismo Francês foram intelectuais, jornalistas, críticos, poetas, escritores e/ou teóricos.

# CAPÍTULO SETE: O IMPRESSIONISMO FRANCÊS

Ao fazer seus filmes, tais autores pregavam que a forma de o cinema contar suas histórias deveria se contrapor às linguagens da literatura e do teatro, ou seja, o filme impressionista deveria ter mais imagens e menos palavras. Criou-se, assim, um apuro artístico-estético de cada plano a ser filmado, de cada enquadramento, na mesma medida em que se reduziu o número de cartelas de texto. Valorizou-se a imagem em suas cargas poéticas e afetivas. Mostrar na tela, sem diálogos, o que os protagonistas pensavam, sonhavam, imaginavam ou aspiravam também era uma das marcantes características do período.

Proliferaram efeitos técnicos e ópticos, como sobreposição de imagens, foco difuso, distorções, máscaras e divisões de tela. A duração de cada plano e o ritmo do filme passaram também a merecer mais atenção e cuidados de seus realizadores na sala de montagem.

Tematicamente, a tendência predominante era a do enfoque subjetivo, onde prevaleciam os dramas psicológicos individuais dos personagens, em detrimento das questões sociais ou coletivas.

Foi ainda nesse momento que ocorreu uma valorização da importância das diversas funções inerentes ao cinema, como operadores de câmeras, cenógrafos, iluminadores, figurinistas, montadores etc., mas sempre prevalecendo a questão autoral, ou seja, o roteiro e a direção deveriam ser do mesmo autor.

A efervescência cultural do momento, aliada às raízes intelectuais dos principais cineastas do movimento, propiciaram ainda a produção de diversos textos críticos e teóricos sobre cinema, além do nascimento de publicações especializadas no tema, salas especiais para a exibição de filmes artísticos e a proliferação de cineclubes. O período foi bastante produtivo, com inúmeros filmes em destaque.

De Jacques Feyder, a aventura fantástica *L'Atlantide* (1921) e o drama *Crainquebille* (1922) conquistaram elogios tanto do público como da crítica. De Louis Delluc, *Fièvre* (1921) inovou ao contar toda a sua história de 43 minutos sem a necessidade de cartelas com textos ou intertítulos. Como crítico e jornalista, Delluc foi também pioneiro ao publicar o livro *Charles Chaplin*, o primeiro sobre o famoso cômico que, na época, contava com apenas oito anos de carreira cinematográfica. Já os intertítulos de *Eldorado* (Marcel L'Herbier, 1921) foram utilizados com textos poéticos, sem função narrativa, enquanto a diretora Germaine Dulac, uma das pioneiras do movimento feminista, realizou dois filmes marcantes sobre o tédio feminino provocado pela dominação masculina: *A Sorridente Senhora Beudet* (1923) e *L'invitation au voyage* (1927). Também é de Dulac um pioneiro curta de estética surrealista, *La coquille et le clergyman* (1928), realizado um ano antes do icônico *Um Cão Andaluz*.

Porém, em termos de espetáculo cinematográfico, raros filmes se equivalem a *Napoleão* (Abel Gance, 1927) e a *O Martírio de Joana D'Arc* (Carl Theodor Dreyer, 1928).

Gance já havia se consagrado como cineasta por meio de uma prolífica carreira que incluía o épico drama de guerra *Eu Acuso!* (1919) e o triângulo amoroso de contornos incestuosos *A Roda* (1923), quando concretizou seu ambicioso projeto de levar às telas a saga bélica de Napoleão Bonaparte. Com um primeiro corte — que chegou a ser exibido publicamente — de duração superior a oito horas de projeção, *Napoleão* se inspirou no gigantismo da obra de Griffith para contar a história do famoso personagem histórico com todas as inovações técnicas possíveis na época, inclusive experimentos pioneiros em 3D, que não chegaram a ser aproveitados. Cortes rápidos, enquadramentos diferenciados, sobreposições de dezenas de imagens como nunca havia sido feito antes, ritmo frenético nas cenas de batalha, divisões do quadro e — principalmente — um final grandioso onde a tela se dividia num tríptico que podia ser comparado ao que o sistema Cinerama só faria cerca de 30 anos mais tarde, elevaram o filme à categoria de clássico. Gance atuou como roteirista e diretor até seus 82 anos. Dirigiu 45 longas e sete curtas entre 1911 e 1972, incluindo dois telefilmes. Faleceu em 1981, aos 92 anos. Seu *Napoleão* passou por vários processos de restauração que resultaram em cópias de vídeo, DVD e Blu-ray, cujas durações variam de 222 a 333 minutos.

*Napoleão*, a superprodução épica de Abel Gance

Já *O Martírio de Joana D'Arc* é uma produção francesa dirigida pelo dinamarquês Carl Dreyer, que não encontrou em seu país produtoras dispostas a bancar o projeto. Também escrito por Dreyer, o filme apresenta um inovador trabalho de câmera, com enquadramentos que priorizam closes que retratam cruel e cruamente a dor da protagonista, vivida pela atriz francesa Maria Falconetti, neste que foi seu segundo e último longa. Especialistas consideram esta a melhor interpretação da história do cinema mudo, potencializada pela exigência do diretor em não utilizar maquiagem em seu elenco, prática inédita até então. Proibido na Inglaterra por mostrar cenas de soldados ingleses torturando Joana D'Arc, por décadas o filme foi considerado perdido, e sua restauração só foi possível após o descobrimento de uma cópia num sanatório na Noruega, em 1981. Dreyer dirigiu filmes em seu país até 1964, vindo a falecer em 1968, aos 79 anos.

Os experimentalismos do Impressionismo Francês não resistiram à chegada do cinema sonoro, e o movimento gradativamente perdeu força. Há teóricos que questionam seu rótulo — impressionismo — argumentando que esta escola estética extrapolava os conceitos impressionistas, flertando também com correntes da vanguarda da época, como o Surrealismo, o Cubismo e o Dadaísmo. Assim, vez ou outra o momento também é conhecido como parte de uma "Première Vague" (primeira onda), em contraposição ao que mais tarde seria batizado de Nouvelle Vague.

# CAPÍTULO OITO

## A Rússia e o Realismo Soviético

Em função de seu obsoleto sistema czarista, a Rússia era um país econômica e comercialmente enfraquecido nos primeiros anos do século 20. Enquanto considerável parte do planeta rumava à industrialização, os russos sofriam as consequências de grandes rebeliões camponesas e de duas derrotas em conflitos internacionais: contra a Inglaterra e a França, na Guerra da Crimeia (1853-6), e contra o Japão, em 1905. O país era constantemente abalado por greves e manifestações trabalhistas, entre elas a dos marinheiros do encouraçado Potemkin, em 1905, que, vinte anos depois, inspiraria um imortal clássico do cinema.

A possibilidade de organizar a atividade cinematográfica russa nos mesmos moldes industriais de países mais desenvolvidos só começou a se concretizar em 1907, quando o fotógrafo e jornalista Aleksandr Drankov abriu o primeiro estúdio de cinema do país. Em 1910, já eram quinze as empresas cinematográficas que operavam na Rússia, produzindo basicamente dramas históricos ou adaptações da literatura e do teatro locais, principalmente Tolstói, Gogol, Pushkin e Dostoievski. A censura czarista de Nicolau II impediu que os filmes retratassem a situação de crise que a nação atravessava.

Antes da Primeira Guerra Mundial, destacou-se, por exemplo, o cineasta Vasili Goncharov, de *A Conquista da Sibéria* (1908), *A Canção do Mercador Kalashnikov*, *A Morte de Ivan, o Terrível*, *Mazepa*, *Drama em Moscou* (todos de 1909), *Pedro, o Grande*, *Vida e Morte de Pushkin*, *Napoleão na Rússia* (1910), *Yevgeni Onegin*, o sucesso *A Defesa de Sebastopol*, *Vida ao Czar*, *Crime e Castigo* (1911), *1812* (1912), *A Ascensão da Dinastia Romanov* (1913), além de *Volga* e *Sibéria*, em 1914, um ano antes de sua morte. Outro destaque do período foi Pyotr Chardynin, diretor de *A Rainha de Espadas*, *A Sonata Kreutzer* (ambos de 1911), *Mulher de Amanhã*, *Crisântemos* (1914), *Natasha Rostova* (1915), entre outros.

Da Rússia, também surgiram experiências pioneiras na arte do stop motion — efeito de animação quadro a quadro — por intermédio do diretor, animador e estudante de arte Wladyslaw Starewicz, de apenas 20 anos.

Há outros pioneiros, como Yakov Protazanov e Yevgeni Bauer. O moscovita Protazanov dirigiu mais de 40 filmes no período de 1909 a 1917, entre eles, *A Canção de um Prisioneiro* (1911), *Honrando a Bandeira Russa* (1913), *Guerra e Paz* (1915), *Pecado* (1916) e uma nova versão de *A Rainha de Espadas*, também em 1916. Bauer assinou a direção de aproximadamente 70 filmes entre 1913, ano de sua estreia no cinema, e 1917, quando faleceu, incluindo *Glória Sangrenta* (1913), *Pássaro Livre*, *Criança da Cidade Grande*, *Lágrimas* (todos de 1914), *Irina Kirsanova* (1915), *Rainha da Tela*, *Correntes Quebradas* (1916), *A Mentira*, *O Revolucionário* e *O Rei de Paris* (1917).

# CAPÍTULO OITO: A RÚSSIA E O REALISMO SOVIÉTICO

A produção russa se multiplicou e se fortaleceu, saltando de nove longas em 1912 para 31 em 1913, mais que os 29 italianos, os 12 norte-americanos e os 18 ingleses daquele mesmo ano.

Mas, se na Europa, em geral, a Primeira Guerra Mundial começou a mudar o panorama político e econômico das nações envolvidas, provocando crises e profundas modificações nos sistemas de governo, na Rússia, em particular, tais alterações foram ainda mais agudas a partir da Revolução de 1917, que levou os bolcheviques ao poder, alterando, de maneira decisiva, toda a estrutura do cinema russo, que passou a se chamar soviético.

Assim, a história do cinema naquele país, como a própria história da Rússia, deve obrigatoriamente ser dividida em duas partes bem distintas: antes e depois da Revolução Socialista de 1917. Antes, o cinema russo czarista era praticamente igual ao dos demais países capitalistas, com a produção local tentando competir com Estados Unidos e França, tanto no mercado interno como em suas pretensões internacionais. Com Lênin assumindo o poder, criando a União das Repúblicas Socialistas Soviéticas (URSS) e instalando o sistema socialista, o novo regime passou a adotar uma espécie de "estilo oficial revolucionário" para todas as manifestações artísticas, incluindo, obviamente, o cinema. A atividade cinematográfica então passa a ser estatizada, transformando-se em instrumento para propaganda política. Muitos cineastas, descontentes com as novas orientações governamentais, migraram para o Ocidente em busca de trabalho.

A estatização logo se mostrou desastrosa para a atividade cinematográfica do país: em 1921, Moscou contava apenas com 10 salas de cinema, das 143 que existiam antes da Revolução. No final do mesmo ano, temeroso de perder uma das mais poderosas ferramentas de propaganda do seu governo, Lênin pôs em prática medidas de incentivo ao cinema. Assinou um acordo de coprodução cinematográfica com a Alemanha, que, à época, vinha experimentando resultados muito positivos em sua indústria cinematográfica, graças principalmente à atuação da rede de produção e distribuição UFA — Universum Film Aktien Gesellschaft.

O acordo rapidamente se mostrou proveitoso também para a Rússia. O país, que havia realizado apenas 11 longas-metragens em 1921, lançou 157 em 1924. Gradativamente, o Estado passou a permitir um pouco mais de liberdade aos seus cineastas, e o cinema soviético floresceu. Tratava-se, contudo, de uma liberdade relativa. O governo soviético permitia voos criativos e estéticos aos cineastas, mas o conteúdo deveria ser obrigatoriamente "revolucionário", sempre exaltando as grandes conquistas alcançadas pelos bolcheviques e vendendo a ideia de que os monarquistas derrubados em 1917 eram tiranos e sanguinários.

E foi como arautos da Revolução que alguns cineastas militantes revolucionaram também o cinema. Como a ideia preponderante era rejeitar o cinema tradicional "burguês, individualista, alienado e alienante", um grupo de jovens cineastas passou a pesquisar, de forma mais intensa, a linguagem técnica da arte cinematográfica, mesmo porque nada de muito novo poderia ser feito em termos de conteúdo.

Nesse momento, tornou-se de grande importância uma experiência formal realizada pelo cineasta Lev Kuleshov. Ele filmou, isoladamente, quatro planos distintos: o rosto de um homem com expressão neutra, um prato de sopa, uma criança num caixão e uma bela mulher deitada. Montou depois essas imagens de forma intercalada, para que parecesse, aos olhos do

CAPÍTULO OITO: A RÚSSIA E O REALISMO SOVIÉTICO

público, que o homem estava olhando, num primeiro momento para a sopa, depois para a criança morta e depois, ainda, para a mulher. Tais imagens, submetidas a uma pesquisa, causaram nos pesquisados a impressão de que o homem tinha reações diferentes a cada plano, com seu olhar transmitindo sensações de fome, tristeza e ternura. Os pesquisados desconheciam o fato de o plano do rosto do homem ser exatamente o mesmo. Comprovava-se, assim, que a ordem pela qual as imagens eram exibidas na tela alteravam significativamente a percepção do conjunto, nesse experimento conhecido como "Efeito Kuleshov".

A partir de tais experimentações, diretores do cinema soviético começaram a notar que o olhar das plateias poderia ser amplamente seduzido por meio da montagem, ou seja, do ritmo e da ordem em que as imagens eram cortadas, justapostas, remontadas e exibidas. Volumes, massas, proporções, ordem e desordem foram conceitos que passaram a ser observados e trabalhados com maior vigor e rigor dentro dessa nova estética. A criação e o desenvolvimento dos novos rumos que passaram a reger essa nova maneira de montar filmes se deveram, em grande parte, aos cineastas Dziga Vertov e Sergei Eisenstein.

Para Vertov, o cinema deveria romper radicalmente com todo e qualquer laço que o amarrasse à literatura, ao teatro e à própria ficção, que ele considerava algo de menor valor artístico. Era preciso encontrar linguagem e identidade próprias. Defensor do Cinema Documental, Vertov encabeçou um grupo de artistas e intelectuais que lançou o manifesto Kino-Pravda (Cinema-Verdade), que apregoava: "Nós declaramos que os velhos filmes romanceados e teatrais têm lepra. Nós afirmamos que o futuro da arte cinematográfica é a negação do seu presente. Nós conclamamos a acelerar sua morte."

Vertov pregava um estilo cinematográfico que ele chamava de Kino-Glaz (Cinema-Olho), no qual a câmera era uma extensão do olho humano e, consequentemente, uma extensão da verdade. Assim, o cinema autêntico só seria possível pela captação de imagens da realidade concreta. Captadas as imagens, uma nova realidade poderia ser (re)criada durante o processo de montagem do filme, por meio da forma e do ritmo com que os planos se alternassem. A ideia foi colocada em prática em todo o seu vigor no filme *O Homem com uma Câmera*, que Vertov realizou em 1929. Basicamente, trata-se do registro da vida urbana, sem retoques, das cidades de Odessa e Moscou, pelo ponto de vista de um cinegrafista, e com uma montagem fragmentada, inovadora e inusitada para a época.

Sem diminuir a importância de Vertov, o nome mais significativo e representativo desse forte cinema russo que nasceu após a Revolução de 1917 é o de Sergei Eisenstein. Estudioso e teórico das técnicas cinematográficas, Eisenstein foi engenheiro do Exército Vermelho e se apaixonou pelo cinema após trabalhar como desenhista de produção do Teatro Popular de Moscou. Dedicando-se com profundidade ao estudo do desenvolvimento da linguagem cinematográfica por meio das infinitas possibilidades da montagem, ele criou a chamada "montagem de atrações", também conhecida como "montagem intelectual" ou "montagem dialética", inspirada na dialética marxista muito em discussão naquele momento. Trata-se, basicamente, do desenvolvimento do conceito de que uma imagem "A", contraposta a uma imagem "B", gera uma ideia "C" bem maior, mais ampla e diferente que o simples "A + B". Em outras palavras, o próprio sentido do filme pode ser construído numa sala de montagem, independentemente até mesmo da ideia do cinegrafista que captou as imagens. Tais conceitos estão expostos de maneira detalhada nos livros *A forma do filme* e *O sentido do filme*, de autoria do próprio cineasta, obras em que esmiúça os tipos de conflitos existentes entre massas, volumes e direção de cada plano.

Entre os filmes mais importantes de Sergei Eisenstein, estão *A Greve* (1923), sobre um movimento grevista ocorrido em 1912, o clássico *O Encouraçado Potemkin* (1925), e *Outubro* (1928), uma comemoração dos 10 anos da Revolução Bolchevique.

Cena do filme *O Encouraçado Potemkin*

Em 1924 — entre *A Greve* e *O Encouraçado Potemkin* —, morre Lênin e sobe ao poder Joseph Stalin. O novo líder implanta o chamado Realismo Soviético — também conhecido como Realismo Socialista —, uma política de Estado para a estética artística e comercial do cinema que visa à representação do povo soviético como herói coletivo, valorizando a importância do trabalho para a construção de uma nova sociedade e reafirmando os valores revolucionários. Os filmes passam a ser produzidos de acordo com as novas diretrizes estatais, idealizadas para consolidar a imagem de um novo homem soviético forjado pelo trabalho industrial, sustentáculo de uma nova nação futurista e avançada.

Em 1928, Stalin determina que o cinema seja compreendido pela grande massa da população, o que reduz o caráter experimental e inovador que caracterizava as produções formalistas anteriores. E, no ano seguinte, sanciona uma lei que destina 30% das bilheterias de todo o cinema soviético à produção de documentários institucionais do governo central. A produção despenca. Se em 1928 a União Soviética havia produzido 125 longas, esse número cai para 67 em 1932 e para apenas 34 em 1935.

São filmes marcantes desse período, entre outros, *Arsenal* (1929), do ucraniano Aleksandr Dovzhenko; *Velho e Novo* (1929), de Eisenstein; *Circus* (1936), de Grigori Aleksandrov; *Lênin em Outubro* (1937), de Mikhail Romm; *Volga-Volga* (1938), de Grigori Aleksandrov, e *Os Tratoristas* (1939), de Ivan Pyryev.

Se, por um lado, a profunda ingerência estatal limitava a ação criativa dos cineastas, a busca por um tom realista, não raramente tangenciando o documental, lançou as bases de um cinema que, pouco mais tarde, nos momentos finais da Segunda Guerra Mundial, serviria como base para o surgimento de outra estética que também se autoproclamaria realista. Ou, mais precisamente, neorrealista. E que vinha da Itália. (Ver Capítulo 14.)

# CAPÍTULO NOVE

## A Warner Ensina o Cinema a Falar

Desde que foi inventado, o cinema queria falar. Existem registros de tentativas razoavelmente bem-sucedidas de filmes sonoros a partir de 1896, quando o pioneiro alemão Oskar Messter apresentou, em Berlim, um trecho filmado de uma opereta sincronizado com um disco.

Há registros também da apresentação de um filme com diálogos falados durante a Feira de Paris de 1900, no qual passagens das peças *Hamlet* e *Cyrano de Bergerac* foram exibidas pelo francês Clément Maurice. Estes, entre outros vários experimentos da época, não tiveram, todavia, desenvolvimento nem continuidade.

Nos anos 1920, a empresa norte-americana General Electric já detinha a patente de um sistema capaz de sincronizar as imagens de um filme com o som pré-gravado de um disco, mas os estúdios cinematográficos da época não demonstraram interesse especial na novidade. Na verdade, era difícil determinar, naquele momento, se o desinteresse das grandes empresas representava uma falta de visão ou um grande temor do que o cinema falado pudesse significar para a indústria, em termos de investimentos futuros. O fato é que a iniciativa da busca pelo sistema da GE acabou vindo de um estúdio que não fazia parte dos grandes nomes do mercado: a então pequena Warner Bros.

Eram onze os irmãos Warner. Todos filhos de Benjamin e Pearl, poloneses que haviam deixado a terra natal em busca de uma nova vida na América do Norte. O quinto deles, Sam, encantou-se com o cinema quando começou a trabalhar como projecionista, e convenceu o pai a investir o pouco que tinham na compra de um projetor e no aluguel de uma pequena sala na cidade de Niles, Ohio. Além de Sam na projeção, a empreitada envolveu mais quatro irmãos: Albert e Harry na bilheteria e administração, Rose ao piano, e Jack cantando nos intervalos para entreter o público.

O cineminha dos Warner deu certo, e a família começou a investir não apenas na abertura de mais salas, como também em exibição e produção. Em 1919, Sam, Albert, Harry e Jack fundaram a Warner Brothers West Coast Studios (nome simplificado para Warner Bros. em 1923). A maior "estrela" de seus filmes foi Rin Tin Tin, um pastor-alemão que protagonizou 23 filmes de sucesso (só no cinema mudo), chegou a ganhar mil dólares por semana (o ator principal dos mesmos filmes ganhava módicos 150) e contou com a ajuda de 18 dublês para as cenas mais perigosas.

Sam Warner achava uma boa ideia ter diálogos falados nos filmes. Em 1925, incentivou seus sócios a comprarem a Vitagraph Studios — proprietária de um pioneiro sistema inventado para acrescentar trilhas sonoras aos filmes — e fechou parceria com a GE, iniciando as pesquisas de desenvolvimento para o cinema sonoro, que ficaram a cargo de uma nova empresa, a Vitaphone Corporation, da qual a Warner detinha 70%. O sistema, agora batizado de Vitaphone, foi desenvolvido por meio de um disco de 40,6 cm gravado com o som do filme girando a 33 ½ rotações por minuto. Dois motores — um para o toca-discos e outro para o projetor — rodavam na mesma velocidade, comandados por uma mesma engrenagem elétrica que garantia o sincronismo, além de uma espécie de volante regulador para o controle das velocidades.

Em 1926, a Warner comprou o Picadilly Theatre, em Nova York, realizou as instalações necessárias para a reprodução sonora do Vitaphone e mudou o nome da sala para Warner Theatre. Em 6 de agosto, após vários testes, realizou-se finalmente uma exibição para o público: a projeção do longa *Don Juan* — com trilha e efeitos sonoros sincronizados, mas sem diálogos falados — agradou, contudo não entusiasmou nem a plateia, nem a imprensa. Preocupados com o alto investimento do cinema sonoro e com o ano de 1926, que se encerrava, contabilizando 280 mil dólares de prejuízo à empresa, os irmãos Warner viajaram pelo país instalando som em salas de exibição e fazendo ajustes no Vitaphone. Em fevereiro de 1927, as cinco maiores empresas cinematográficas da época — MGM, Paramount, Universal, First National e a Producers Distributing Corporation — firmaram acordo comprometendo-se perante os exibidores a não instalar sistemas sonoros em suas futuras produções.

Foi nesse clima de tensão que a Warner comprou os direitos da peça *O Cantor de Jazz*, visando adaptá-la para as telas. O filme foi produzido rapidamente e estreou, no mesmo Warner Theatre, em 6 de outubro de 1927. Apenas duas cenas do filme são realmente faladas, totalizando exatas 354 palavras, mas os números musicais sincronizados conquistaram a plateia, e, contrariamente ao que acontecera na exibição anterior de *Don Juan*, *O Cantor de Jazz* tornou-se sucesso imediato, com grande repercussão de imprensa na manhã seguinte. Impulsionado pela nova técnica, *O Cantor de Jazz* arrecadou 3 milhões de dólares nas bilheterias norte-americanas e só não se transformou no maior sucesso até então porque *Ben-Hur*, no ano anterior, chegara aos 4 milhões. E a então pequena Warner cresceu 32.000% entre 1927 e 1929, conquistando lugar de destaque entre as grandes companhias do setor.

Poster do filme *O Cantor de Jazz*

## O Som Muda os Caminhos do Cinema

O desenvolvimento da tecnologia de sincronização do som com a imagem cinematográfica, ou, em outras palavras, o surgimento do filme falado, em 1927, causou muito mais alterações significativas na produção, na linguagem e no mercado mundial de cinema do que se poderia supor num primeiro momento. Na verdade, a introdução do som foi considerada a maior revolução da história da Sétima Arte em todos os tempos, em todas as épocas. Afinal, como disse Noel Rosa em seu samba *Não Tem Tradução*, de 1933, "O cinema falado é o grande culpado da transformação."

Mas a que custo? Para se adaptar à nova tecnologia, os estúdios tiveram de ser praticamente reconstruídos, visando à instalação de isolamentos acústicos. Na era muda, qualquer barulho externo, fosse de trânsito, alarido, pessoas conversando ou mesmo de algum objeto que tivesse caído no chão, era simplesmente ignorado, o que, a partir de então, se tornava impossível. Saíram de cena os estúdios mais simples para dar lugar às grandes estruturas similares a hangares, isoladas acusticamente, que são — até hoje e não por acaso — conhecidas como *soundstages* (palcos de som).

Como o próprio mecanismo interno das câmeras também produzia ruídos, foi necessário isolá-las acusticamente, encerrando-as — juntamente com seus operadores — em caixas estofadas de madeira e vidro, para que o barulho do motor e das engrenagens não interferisse nas cenas. Pouco depois, foi desenvolvido o *blimp*, uma espécie de invólucro metálico que "vestia" a câmera, isolando os ruídos, mas tirando boa parte da sua mobilidade. O advento do som não permitiu mais que os cineastas dirigissem seus filmes aos gritos de megafone, direcionando a ação ao mesmo tempo que a cena se desenvolvia. O roteiro, a preparação prévia e os ensaios foram valorizados, inviabilizando o frescor do improviso. A arte da direção cinematográfica se sofisticou.

Outra grande novidade presente a partir desse momento nos sets de filmagem foi o sistema de captação de som, formado não apenas por um considerável emaranhado de fios e cabos, como, principalmente, por microfones, enormes na época. Tais aparatos, de tamanho semelhante ao de um ralador de queijo, tinham de ser escondidos no cenário de modo que ficassem posicionados perto dos atores (a sensibilidade dos microfones da época era precária) e, ao mesmo tempo, escondidos do alcance das lentes. Era comum, nos filmes de 1928 e 1929, a tomada de cenas em que os protagonistas permaneciam por vários minutos recitando seus diálogos num tom de voz acima do normal (para facilitar a captação do som), parados diante de um vaso de flores ou de uma camuflagem grande o suficiente que permitisse a ocultação do microfone.

Da mesma forma, como ainda não havia sido desenvolvido um sistema portátil de captação sonora, as cenas externas que envolvessem perseguições, por exemplo, eram reduzidas em detrimento das tomadas em estúdio, o que tornou os filmes do período menos ágeis e mais engessados, menos cinéticos e mais verbais. Em consequência, vários filmes voltaram a se inspirar em peças teatrais, como nos primeiros anos do cinema.

Pelo lado dos exibidores, milhares de salas de projeção em todo o mundo deram início a um dispendioso processo de reformas e readaptações tanto para a instalação dos sistemas de som como para o isolamento acústico das edificações. Uma empreitada nada fácil, principalmente para os Estados Unidos, líderes mundiais do setor, que naquele momento contabilizavam mais de 20 mil salas de exibição que necessitariam, portanto, ser adaptadas e reformadas. Outros países, como França (na época, com cerca de 3 mil salas), Alemanha (5 mil), Espanha (2 mil) e Reino Unido (4 mil), também levantaram o capital necessário para as alterações. O Brasil contava, naquele momento, com mais de mil salas de exibição.

A chegada do cinema sonoro transformou-se também num pesadelo particular para atores e atrizes, principalmente os de vozes menos privilegiadas e os estrangeiros que faziam carreira nos Estados Unidos, mesmo sem o domínio da língua inglesa. Se na era muda a grande matéria-prima dos intérpretes eram suas expressões faciais e corporais, agora a voz, a fala e a dicção tinham de ser adicionadas a esse repertório, valorizando o trabalho de fonoaudiólogos e treinadores específicos de voz. Isso sem falar na capacidade de memorização de diálogos, até então dispensável.

Transformações assim tão radicais interromperam várias trajetórias de sucesso. O festejado casal formado por Mary Pickford e Douglas Fairbanks, por exemplo, chegou a realizar uma ousada adaptação da comédia shakespeariana *A Megera Domada*, lançada em 1929 como *A Mulher Domada*, mas suas carreiras nunca mais teriam o mesmo brilho. A estrela Clara Bow, ícone do cinema mudo, desiludiu-se com o cinema falado e fez seu último filme em 1933, aos 28 anos. Lillian Gish, uma das preferidas de Griffith, teve um hiato de nove anos entre 1933 e 1942, período que não fez sequer um filme. Também contrariada com o cinema sonoro, Louise Brooks trocou a indústria norte-americana pela alemã após o lançamento do seu primeiro filme falado, *O Drama de uma Noite* (1929), e, sob a direção de G.W. Pabst, imortalizou-se no velho continente com o clássico mudo *A Caixa de Pandora* (1929).

Também caiu no esquecimento toda uma linhagem de cômicos mudos que apoiavam seus filmes em correrias, perseguições, acrobacias e performances físicas que soaram sem sentido na era falada. Com o som, o próprio subgênero da chamada comédia pastelão pereceu.

Por outro lado, tal momento de valorização do texto e das interpretações verbais abriu mercado para os atores de formação teatral, que historicamente consideravam o cinema uma arte menor por estar diretamente relacionada à pantomima.

O comportamento do público também foi substancialmente alterado, pois, se antes era possível assistir aos filmes enquanto se conversava ou se socializava com outros membros da plateia, agora o silêncio tornava-se necessário para a total compreensão da trama.

Do ponto de vista empresarial, os executivos dos grandes estúdios passaram a temer a diminuição ou até mesmo a perda dos mercados internacionais, já que a tecnologia do som se mostrava como um entrave para a exportação. Na era muda, bastava produzir as cartelas com os letreiros dos diálogos e textos nos diversos idiomas dos países para os quais as produções haviam sido vendidas e inseri-las nos filmes, mas como fazer essa adaptação para o cinema falado?

Enquanto não eram desenvolvidas satisfatórias tecnologias para legendagem e dublagem, partiu-se então para uma solução, no mínimo, inusitada: produzir o mesmo filme, com a mesma história, com elencos e idiomas diferentes, dependendo do país. Nesse sentido, *Drácula* (1931) foi filmado pela Universal com dois elencos e dois diretores. Durante o dia, Tod Browning dirigia Bela Lugosi na versão falada em inglês, e, à noite, os mesmos cenários eram ocupados por George Melford e Enrique Tovar Ávalos, que dirigiam Carlos Villarías no papel-título de uma versão falada em espanhol, visando ao mercado latino.

Enfim, tudo o que o musical *Cantando na Chuva* (1952) retratou sob a forma de comédia teve efetivamente um histórico fundo de verdade.

Mesmo com a linguagem cinematográfica retrocedendo nos primeiros anos de filme falado, em função das dificuldades técnicas do processo de transição, e mesmo com os filmes tornando-se visualmente menos espetaculares e verbalmente mais elaborados, o público respondeu com entusiasmo à novidade do som e compareceu às salas de exibição em níveis que fizeram a indústria retomar o otimismo: em 1926, último ano do cinema totalmente mudo, as salas norte-americanas registraram vendas de, pasmem, 50 milhões de ingressos por semana! Em 1927, ano 1 do cinema falado, ocorreu um aumento superior a 20% na venda de ingressos, o que pode ser considerado significativo, levando-se em conta que o advento do som só chegaria nos últimos meses do ano. O grande salto se deu no decorrer dos dois anos seguintes, quando 65 milhões de ingressos semanais foram vendidos em 1928 e alcançaram a expressiva cifra 95 milhões de ingressos/semana em 1929.

Ainda nos Estados Unidos, todos os esforços e transtornos provocados pelas adaptações e reformas advindas do som se reverteram em vantagem para os cofres do setor: de 1927 a 1929, o lucro líquido dos exibidores aumentou 25%, enquanto o dos produtores mais de 400%.

O cinema falado atingiu uma popularidade tão expressiva que se tornou impensável, também em termos mercadológicos, a continuidade da produção do filme mudo, alçado imediatamente à condição de "antigo". Diferentemente do advento da cor — que não pôs fim ao cinema em preto e banco —, o filme sonoro decretou a morte rápida do período mudo, abrindo o que se esperava ser uma nova era de prosperidade e grandes lucros para os empresários do setor... até outubro de 1929 trazer as terríveis consequências da Grande Depressão.

# CAPÍTULO DEZ

# A GRANDE DEPRESSÃO

A quebra da Bolsa de Valores de Nova York (também chamada de Quinta-Feira Negra), em outubro de 1929, que iniciou o período conhecido como Grande Depressão, assumiu proporções econômicas, financeiras e sociais jamais vistas até então no mundo capitalista. A taxa de desemprego norte-americana, que no século 20 jamais havia alcançado dois dígitos, chegou a 25% em 1933. Mais de 40% das instituições financeiras foram obrigadas a fechar. Entre 1929 e 1933, o valor total dos produtos industrializados fabricados nos Estados Unidos caiu de 104 bilhões de dólares para 56 bilhões, com a produção de automóveis — só para citar um exemplo — despencando cerca de 70%. Aproximadamente metade da população ficou abaixo da linha de pobreza. A crise provocou um efeito dominó em todo o planeta, com o PIB mundial caindo 15% entre 1929 e 1932.

Números tão desastrosos acabariam por ameaçar a indústria cinematográfica, que vinha de um período de altos investimentos na construção de salas luxuosas e de ganhos significativos proporcionados pela novidade dos filmes sonoros. Mesmo com

CAPÍTULO DEZ: A GRANDE DEPRESSÃO

o preço médio do ingresso caindo de 30 para 20 centavos de dólar, fruto da deflação ocasionada pela falta de poder aquisitivo da população agora empobrecida, a frequência às salas de cinema caiu dos cerca de 90 milhões de ingressos semanais vendidos em 1930 para 60 milhões em 1933. O faturamento da indústria cinematográfica norte-americana caiu de 720 milhões de dólares em 1929 para 480 milhões em 1933, enquanto os lucros totais de 54,5 milhões em 1929 se transformaram em prejuízos de 55,7 milhões em 1932.

A quantidade de longas-metragens produzidos também diminuiu. Entre 1923 e 1928, antes da crise, os estúdios norte--americanos rodaram uma média de 632 longas anuais, número que caiu para 506 ao ano, considerando o período de 1929 a 1939.

Devido a esse cenário, os estúdios não pouparam esforços para desenvolver estratégias atraentes o suficiente que fizessem com que o consumidor, em crise e que mal tinha para o próprio sustento, decidisse investir alguns centavos num ingresso de cinema. Assim, cada empresa saiu em busca de novos rumos para seduzir as plateias.

A Warner investiu na temática dos gângsteres, com filmes fortes e contundentes sobre a criminalidade que passou a tomar conta do país. Quase sempre estrelados por James Cagney, são exemplos típicos desse período e desse estúdio os filmes *Caminhos do Inferno* (1930), *Alma no Lodo* (1931), *Inimigo Público* (1931), *O Fugitivo* (1932), *O Prefeito do Inferno* (1933), *Contra o Império do Crime* (1935) e, um pouco mais tarde, *Anjos de Cara Suja* (1938) e *Heróis Esquecidos* (1939). Seguindo a linha da Warner, a independente Caddo Company produziu um dos clássicos do período: *Scarface: a Vergonha de uma Nação* (1932).

James Cagney, especializado em papéis
de gângsteres nos anos 1930 e 1940

Já a Columbia apostou que, em tempos difíceis, as plateias preferiam o riso e o otimismo, brindando, assim, seu público com as comédias cinicamente românticas e as sarcásticas críticas sociais dirigidas por Frank Capra. Entre elas, *Rain or Shine* (1930), *Loura e Sedutora* (1931), *Loucura Americana* (1932), *Dama por um Dia* (1933), *Aconteceu Naquela Noite* (1934), *O Galante Mr. Deeds* (1936), *Do Mundo Nada se Leva* (1938) e *A Mulher Faz o Homem* (1939).

A Universal explorou a linha do terror, tentando fazer com que o público exorcizasse o medo da crise através dos monstros

CAPÍTULO DEZ: A GRANDE DEPRESSÃO

da tela, num processo similar ao acontecido na Alemanha, após a Primeira Guerra Mundial. Marcantes criaturas monstruosas vindas da literatura desembarcaram no cinema por intermédio dos estúdios da Universal: *Frankenstein* (1931), *Drácula* (1931), *A Múmia* (1932), *O Homem Invisível* (1933), *A Noiva de Frankenstein* (1935), *O Filho de Frankenstein* (1939), e uma linhagem de horror que seria completada na década seguinte com *O Lobisomem* (1941), *O Fantasma de Frankenstein* (1942), *O Filho de Drácula* (1943) e *O Fantasma da Ópera* (1943), entre outras.

Na mesma linha, a Paramount lançou sua versão de *O Médico e o Monstro* (1931), enquanto a RKO criou seu monstro muito particular: o sucesso *King Kong* (1933). A mesma RKO encontrou, no escapismo do romance, nas danças acrobáticas, no luxo e nos finais felizes, a receita ideal para transformar as salas de cinema no melhor lugar para fugir da dura realidade de um mundo em crise. Para isso, a empresa apostou nas habilidades de Fred Astaire e Ginger Rogers, e produziu *Voando para o Rio* (1933), *A Alegre Divorciada* (1934), *Roberta* (1935), *O Picolino* (1935), *Nas Águas da Esquadra* (1936), *Ritmo Louco* (1936), *Vamos Dançar?* (1937) e *Dance Comigo* (1938).

Contudo, se o assunto é escapismo, luxo, glamour e musicais para fugir da crise, a MGM foi imbatível. Com mais poder de fogo que seus concorrentes, o estúdio produziu vários títulos nesse teor durante a Grande Depressão, incluindo *Melodia da Broadway* (1929), *Coisas de Estudantes* (1930), *Amor de Dançarina* (1933), *Jantar às Oito* (1933), *A Viúva Alegre* (1934), *Oh, Marieta!* (1935), além de contar em seus quadros com o humor anárquico dos Irmãos Marx, egressos da Paramount, que protagonizaram para a Metro *Uma Noite na Ópera* (1935), *Um Dia nas Corridas* (1937) e *Os Irmãos Marx no Circo* (1939), entre outros.

Não por acaso, nessa época em que o cinema desenvolveu esforços para criar uma espécie de realidade paralela que pudesse, pelo menos, amenizar as dores e os prejuízos da maior crise econômica da história, nasceu a expressão "Fábrica de Sonhos" para designar Hollywood. Uma fábrica incessante que continuou a rodar suas câmeras, mesmo com todas as dificuldades, e que percebeu que produzir em ritmo frenético, com ênfase na quantidade para tentar manter a indústria aquecida, podia não ser a melhor solução. A partir do final dos anos 1930, com a crise perdendo fôlego, a economia gradativamente voltando à estabilidade e as fórmulas cinematográficas dando sinais de desgaste, surge uma nova mentalidade produtiva em Hollywood. Basicamente pelas mãos de três produtores — Irving Thalberg, David O. Selznick e Darryl F. Zanuck —, a indústria norte-americana de cinema começou a notar que produzir menos e melhor poderia gerar melhores resultados artísticos e econômicos. Melhores histórias, melhores roteiros, melhor nível de produção, com mais astros e estrelas, seria o novo caminho dos grandes estúdios.

## RECUPERAÇÃO

Produtor de quase uma centena de filmes em menos de 20 anos de carreira, Irving Thalberg foi uma das personalidades mais emblemáticas do cinema norte-americano. Embora tenha trabalhado em grandes empresas do setor (Universal e MGM), seu nome não consta nos créditos oficiais de quase nenhum de seus filmes, pois Thalberg acreditava que o produtor — aquele que tem o poder de decidir quais nomes constarão nos créditos — não deveria dar créditos a si próprio. Um dos 36 fundadores, em 1927, da Academia de Artes e Ciências Cinematográficas (também conhecida como The Academy), produziu títulos como *O Corcunda de Notre Dame* (1923), *Ben-Hur* (1925), *O Diabo e a Carne* (1926), *Melodia da Broadway* (1929), *A Divorciada* (1930), *O Campeão* (1931), *Grande Hotel* (1932), *A Viúva Alegre* (1934), *Uma Noite na Ópera* (1935) e muitos outros. Criou e desenvolveu um sistema centralizado de produção que ditou as normas de Hollywood nos anos 1930, e morreu em 1936, aos 37 anos, devido a uma pneumonia.

... *E o Vento Levou*, clássico da recuperação pós-crise

Seja na MGM, na Paramount, na RKO ou como produtor independente, David O. Selznick somou 87 títulos em sua carreira. Responsável por levar Alfred Hitchcock a Hollywood, entre os seus trabalhos estão *King Kong* (1933), *Anna Karenina* (1935), *Nasce uma Estrela* (1937), *Rebecca, a Mulher Inesquecível* (1940), *Quando Fala o Coração* (1945) e *Adeus às Armas* (1957). Arrojado, Selznick será sempre lembrado como o grande produtor de um dos maiores clássicos da história, o épico ... *E o Vento Levou* (1939).

Com mais de 200 filmes no currículo em quase meio século de carreira, Darryl F. Zanuck foi um dos mais influentes produtores de Hollywood. Iniciou sua carreira na Warner, foi um dos fundadores da 20th Century Fox, e sua filmografia inclui títulos como *O Cantor de Jazz* (1927), *Inimigo Público* (1931), *Vinhas da Ira* (1940), *Como Era Verde Meu Vale* (1941), *Um Barco e Nove Destinos* (1944), *A Malvada* (1950), *O Rei e Eu* (1956) e *O Mais Longo dos Dias* (1962), entre muitos outros.

Ao propor menos quantidade e mais qualidade, o triunvirato formado por Thalberg, Selznick e Zanuck deu início a uma safra raramente vista no cinema. Em apenas três anos, saíram dos estúdios hollywoodianos algumas obras-primas: ... *E o Vento Levou* (1939), *O Mágico de Oz* (1939), *A Mulher Faz o Homem* (1939), *No Tempo das Diligências* (1939), *Rebecca, a Mulher Inesquecível* (1940), *Pinóquio* (1940), *Como Era Verde o Meu Vale* (1941), *Vinhas da Ira* (1940), *O Grande Ditador* (1940), *Relíquia Macabra* (também conhecido como *O Falcão Maltês*, 1941) e *Cidadão Kane* (1941), entre muitos outros.

A indústria não só se recuperou com vigor como também passou a apresentar números que impressionavam até mesmo os mais otimistas. Em 1941, a soma das bilheterias no mercado norte-americano registrou 810 milhões de dólares contra os 480

CAPÍTULO DEZ: A GRANDE DEPRESSÃO

milhões de 1933. O número superou, inclusive, os 720 milhões de 1929. O mercado saiu de um prejuízo total de 55,7 milhões em 1932 para um lucro de 34 milhões em menos de uma década.

A Grande Depressão foi superada, mas não sem deixar consequências. Um alegado excesso de violência, sensualidade e liberalismo nos filmes feitos no período incomodou os conservadores, que pressionaram a indústria a adotar, em 1930, o Motion Picture Production Code, conhecido como Código Hays. Através dele, drogas, adultério, suicídio, sexo, homossexualidade, finais infelizes e uma série de temas considerados "desagradáveis" acabaram sendo banidos ou foram, pelo menos, dificultados até 1968, ano em que o Código caiu em desuso.

Embora o ano de 1941 tenha marcado a consolidação da recuperação do cinema após a Grande Depressão, foi também nesse ano, em dezembro, que os Estados Unidos entraram na Segunda Guerra Mundial, que já assolava a Europa desde 1939. Novamente, nada seria como antes. E não apenas na indústria cinematográfica.

# CAPÍTULO ONZE

## O REALISMO POÉTICO FRANCÊS

Vários fatores contribuíram para que surgisse na França, durante os anos 1930, um tipo de cinema diferenciado. O país, saído da euforia provocada pelos movimentos de vanguarda — principalmente o Surrealismo — que sacudiram as estruturas convencionais da arte, mergulhava agora em um período de pessimismo. A quebra da Bolsa de Nova York havia abalado a economia do planeta, e a ascensão do nazismo, com a chegada de Hitler ao poder em 1933, sinalizava com tempos sombrios. Paralelamente, os cineastas iniciaram o domínio da nova tecnologia do filme falado, o que potencializou a importância dos diálogos e dos roteiros das produções rodadas naquele período. A utilização de técnicas literárias auxiliou no trabalho de criação de roteiros mais bem elaborados, ao mesmo tempo que começou a ser valorizado o trabalho do roteirista, embora a profissão como a conhecemos hoje ainda não existisse formalmente. Naquele momento, escritores, jornalistas ou mesmo os produtores e os diretores de um filme eram os responsáveis pelo desenvolvimento dos roteiros.

## CAPÍTULO ONZE: O REALISMO POÉTICO FRANCÊS

Tal conjugação de fatores fez nascer a estética cinematográfica que se convencionou chamar de Realismo Poético Francês. O nome, por si só, já traz a contradição intrínseca da criação de um cinema que pudesse, ao mesmo tempo, tratar de duras questões de uma realidade socioeconômica combalida e de uma linguagem poética. A proposta resultou em belos melodramas — por vezes românticos, por vezes policiais — desenvolvidos sob um pano de fundo invariavelmente trágico. Não raro protagonizados por anti--heróis que viviam à margem da sociedade, ou simplesmente por almas libertárias em fuga de uma realidade mesquinha.

Pertencem à época importantes clássicos, como *Sob os Tetos de Paris* (1930), um vigoroso retrato do submundo parisiense dirigido por René Clair, o mesmo que, no ano seguinte, realizou *A Nós a Liberdade*, comédia dramática com sabor de cinismo que critica o excesso de automação e a falta de humanidade, antecipando-se a *Tempos Modernos*, que Chaplin faria em 1932.

Em 1933, Jean Vigo fez uma ode à liberdade através da revolução de estudantes, que retratou em *Zero de Conduta*, e retomou o tema no ano seguinte com *O Atalante*, sobre uma mulher que se aborrece com a vida que leva num barco com o marido e sai em busca de aventuras na noite parisiense.

Jean Renoir, filho do pintor Auguste Renoir, surgiu como um dos grandes nomes do movimento, realizando obras de extrema importância, como *Toni* (1935), *O Crime de Monsieur Lange* (1936), *A Grande Ilusão* (1937) e *A Regra do Jogo* (1939).

Também se destacaram os diretores Jacques Feyder (*A Última Cartada*, 1934; *Quermesse Heroica*, 1936), Marcel Carné (*Jenny*, 1936; *Hotel do Norte*, 1938; *Cais das Sombras*, 1938; *Trágico Amanhecer*, 1939) e Julien Duvivier (*A Bandeira*, 1935; *Camaradas*, 1936; *O Demônio da Algéria*, 1937; e *La Fin du Jour*, 1939).

*A Grande Ilusão*, marco do Realismo Poético Francês

Com a deflagração da Segunda Guerra Mundial, em 1939, e a ocupação nazista logo no ano seguinte, os cineastas franceses se exilaram e tornou-se impossível a continuidade do movimento. Ainda que de rápida duração, o Realismo Poético Francês trouxe em sua gênese elementos que mais tarde influenciariam tanto o Cinema Noir norte-americano (injustiças, fatalismos, cinismo, tramas policiais, personagens socialmente desajustados), como o Neorrealismo Italiano (protagonismo das classes trabalhadoras, temas sociais, desemprego, inseguranças).

Foi uma das grandes escolas estéticas do cinema, interrompida pela truculência política.

# CAPÍTULO DOZE

## A SEGUNDA GUERRA MUNDIAL

Uma famosa frase atribuída ao dramaturgo grego Ésquilo diz que "A primeira grande vítima de uma guerra é a verdade". Não seria diferente na Segunda Guerra Mundial. Principalmente num momento em que o cinema já se sedimentara como o maior canal de informação, divulgação, difusão e, consequentemente, manipulação das populações.

Consciente do poder da imagem, Hitler já utilizava o cinema como ferramenta de propaganda antes mesmo do início do conflito, principalmente por intermédio dos filmes *Der Sieg des Glaubens* (1933) e *Triunfo da Vontade* (1935), ambos de Leni Riefenstahl, vigorosos e contundentes registros de reuniões do Partido Nazista. Embora a guerra só tenha estourado na Europa em outubro 1939, desde 1933, com a chegada de Hitler ao poder, a ascensão do Nacional-Socialismo vinha preocupando os setores mais esclarecidos da sociedade. Mesmo antes da entrada dos Estados Unidos no conflito — o que só ocorreu em dezembro de 1941, com o ataque a Pearl Harbor —, cineastas norte-americanos já produziam filmes antinazistas. Entre eles, destacam-se

*Casei-me com um Nazista* (1940), *Fugitivos do Terror* (1940), *Asas nas Trevas* (1940), *O Homem que Quis Matar Hitler* (1941), *A Voz da Liberdade* (1941), *Demônios do Céu* (1941), *Revoada das Águias* (1941), *Sedutora Intrigante* (1941), *Confirme ou Desminta* (1941) e *Quando Nasce o Dia* (1941).

No momento em que os Estados Unidos declararam oficialmente guerra ao Eixo, iniciou-se um intenso processo de colocar o cinema a serviço do Estado, tanto no sentido de elevar o moral das tropas, como para conquistar o apoio inquestionável da população para todo e qualquer ato bélico de interesse da Nação. Assim, o Departamento de Estado norte-americano contratou/convocou cinco importantes cineastas com o objetivo de produzir filmes de interesse político e propagandístico. Frank Capra, John Ford, John Huston, William Wyler e George Stevens — todos de grande experiência e respeito na indústria do cinema — saíram pelos campos de batalha dirigindo documentários e filmes de treinamento, longas e curtas, nos quais a verdade seria o fator de menor importância.

Capra dirigiu uma série de curtas intitulados *Why We Fight* (em tradução livre, *Por que Lutamos*), buscando razões motivacionais para a ação norte-americana no conflito. John Ford foi enviado para cobrir a campanha no Norte da África; John Huston foi ao Pacífico; William Wyler dirigiu documentários sobre a Força Aérea; e George Stevens se tornou um dos primeiros norte-americanos a testemunhar o horror dos campos de extermínio. Em nome do patriotismo, o Departamento de Estado não hesitou em reencenar, diante das câmeras, batalhas já acontecidas, ou retratar os inimigos de forma distorcida.

Também na ficção, os filmes produzidos nos EUA adotaram o discurso comum de alertar a população contra os inimigos,

CAPÍTULO DOZE: A SEGUNDA GUERRA MUNDIAL

ao mesmo tempo que glorificavam a luta de seus soldados pela liberdade. Nas produções do período, sem espaço para nuances, os norte-americanos eram heróis infalíveis, enquanto alemães, japoneses e italianos eram ridicularizados.

Foram muitos os filmes dessa tendência no período. Entre eles, *Uma Aventura em Paris* (1942), sobre o desmoronamento de um romance na capital francesa após a invasão nazista; *A Canção da Vitória* (1942), retrato de um artista em crise de consciência por não ter ido ao campo de batalha; *Os Filhos de Hitler* (1943), abordando o amor impossível entre um jovem alemão e uma garota norte-americana; *Horas de Tormenta* (1943), sobre um casal que retornou a Washington após lutar contra as ditaduras europeias; *A Sétima Cruz* (1944), sobre um grupo de prisioneiros que fugiu de um campo de concentração, e tantos outros.

Curtas-metragens, desenhos animados e comédias também se engajaram no conflito, transformando conhecidos personagens do público, como Pernalonga, Pato Donald, Popeye e Os Três Patetas, em instrumentos de luta contra o Eixo e de incentivo à compra de bônus de guerra.

Curiosamente, um dos filmes mais significativos e representativos da Segunda Guerra Mundial não foi realizado na febre patriótica fomentada pelo Departamento de Estado dos Estados Unidos. Iniciativa pessoal de Charles Chaplin, o pacifista *O Grande Ditador* começou a ser escrito em 1939 e foi lançado em outubro de 1940, mais de um ano antes da entrada do país no conflito.

Fora das telas, os astros hollywoodianos utilizaram a fama e o carisma em prol da propaganda de guerra, fazendo aparições públicas, shows e fotos publicitárias vestindo fardas. Em nome da política da boa vizinhança promovida pelo Presidente

Roosevelt, Errol Flynn e Douglas Fairbanks vieram ao Brasil, onde foram recebidos pelo Presidente Getulio Vargas; os estúdios Disney criaram os personagens Panchito e Zé Carioca, a fim de sedimentar as relações políticas com a América Latina; o próprio Walt Disney visitou o Brasil, e a RKO enviou Orson Welles às praias brasileiras para filmar o documentário *É Tudo Verdade*, jamais finalizado, assim como inacabada permaneceu a série de filmes que John Ford faria sobre o nosso país.

*O Grande Ditador*, um libelo pacifista

De uma forma geral, a Segunda Guerra Mundial acabou se mostrando um bom negócio para a indústria americana, que aqueceu sua economia produzindo uma grande quantidade de máquinas e armamentos, e para o cinema em particular, visto como estratégico para a obtenção da vitória no conflito. Entre

1942 e 1944, o cinema norte-americano conseguiu manter a satisfatória média de 440 longas anuais. Porém, os cineastas enviados ao campo de batalha para filmar a guerra, ainda que conseguissem desenvolver com sucesso suas carreiras depois de cumprida a missão, não saíram do conflito sem sequelas. William Wyler perdeu parte da audição filmando no front, e, em 1946, realizou *Os Melhores Anos de Nossas Vidas*, drama sobre as dificuldades de readaptação dos soldados à vida civil. John Huston retornou aos Estados Unidos com transtorno pós-traumático e, em 1946, escreveu e dirigiu o documentário *Let There Be Light*, denunciando os distúrbios emocionais provenientes das batalhas. O filme permaneceu censurado pelas Forças Armadas dos EUA por mais de 35 anos. John Ford foi atingido por estilhaços enquanto filmava o documentário *A Batalha de Midway* (1942), e George Stevens nunca escondeu o horror que as imagens dos campos de extermínio lhe proporcionaram até o fim de sua vida.

# CAPÍTULO TREZE

## O Filme Noir

A Segunda Guerra Mundial criou, nas sociedades dos países em conflito, um clima de dúvidas e desconfianças. Qualquer vizinho poderia ser um espião, não havia mais a segurança do amanhã e a esperança no futuro cambaleava por um fio. Eram tempos sombrios, uma época em que não existiam mais certezas, e a realidade já não era mais tão óbvia quanto parecia ser até poucos anos antes.

Todo esse processo — além de incertezas — também trouxe um amadurecimento: a antiga ingenuidade perdeu terreno, e diminuiu o espaço nos filmes para a velha luta simplista entre o Bem e o Mal. Durante a guerra, toda a sociedade se viu obrigada a se reinventar, e com o cinema não foi diferente. Conscientemente ou não, os filmes produzidos nos Estados Unidos nesse período começaram a passar por grandes transformações estéticas e temáticas. Contrariamente ao maniqueísmo de décadas anteriores, em que não poderia haver dúvidas entre quem eram os "mocinhos" e quem eram os "bandidos", os filmes norte-americanos passaram, nos anos 1940, a apresentar protagonistas falíveis, hesitantes ou mesmo de caráter duvidoso. Humanos, enfim. As mulheres se despiram de qualquer confiabilidade e puderam se mostrar fatalmente traiçoeiras num

# CAPÍTULO TREZE: O FILME NOIR

piscar de olhos ou num mostrar de meias. E os grandes vilões, quem sabe, cada um com suas motivações, talvez não tenham sido tão malvados assim, no final das contas (ou no "The End"). Histórias policiais protagonizadas por detetives de reputação mais que duvidosa, entocados em escritórios empoeirados, passaram a ser uma das grandes fontes de inspiração para esse cinema.

Visualmente, a mudança estilística dos filmes do período também foram bem perceptíveis: sem grandes verbas para produzir durante a guerra, quando o dinheiro era investido prioritariamente na indústria bélica, economizar passou a ser a palavra de ordem. Foi preciso fazer filmes com menos cenários, reduzindo a quantidade de cenas e até mesmo a luz. A carência da construção de grandes ambientações foi substituída por marcantes jogos de luzes. A simples sombra de uma persiana projetada sobre o rosto do protagonista passou a ser suficiente para criar o necessário clima sombrio que envolveria os personagens. Os contornos retorcidos de uma antiga escadaria puderam servir de gabarito para um efeito visual impactante e econômico, usando apenas focos de luzes e sombras estendidas. Fumaça e neblina na contraluz de incontáveis personagens fumando em cena ajudaram na criação de um misterioso clima de charme e de suspense fatal.

Para filmar um número menor de cenas e economizar na produção, a narração em off, em que o protagonista pensa alto sozinho e explica o que está acontecendo sem grandes problemas dramatúrgicos, passou a ser um dos maiores aliados dos roteiristas, que se viram obrigados a criar de forma rápida e barata.

Enquanto tudo isso acontecia na América do Norte, lá do outro lado do Atlântico a sempre atenta crítica cinematográfica francesa assistia a tudo, encantada com as novidades. Havia a percepção de um cinema norte-americano mais denso, mais tenso, mais interessante, mais sintonizado com um mundo que sofria o terror da guerra. Mais real.

O crítico Nino Frank, nascido na Itália, mas atuando na França, publicou, na revista *L'Écran Français,* o artigo "Un Nouveau Genre Policier: L'Aventure Criminelle", no qual analisava a nova tendência de produzir filmes densos e escuros, tanto formal como tematicamente. E os chamou de filmes negros. Em francês, *film noir.* Escuridão, espionagem, detetives atormentados contracenando com mulheres fatais e misteriosos vilões explodiram nas telas em preto e branco naquele momento de guerra mundial, fazendo surgir um dos estilos mais icônicos da História do Cinema.

Não foram meras coincidências as semelhanças estéticas do cinema noir com os filmes expressionistas alemães. Vários técnicos e diretores fugidos do nazismo se estabeleceram nos estúdios norte-americanos no período da guerra, levando para lá suas habilidades e visões de mundo. Entre eles, figuram o alemão Robert Siodmark (diretor dos noir *Dama Fantasma, Férias de Natal, Mulher Satânica* e *Dúvida,* todos de 1944), o austríaco Fritz Lang (de *Quando Desceram as Trevas* e *Um Retrato de Mulher,* também de 1944) e os austro-húngaros Otto Preminger (diretor de *Laura* e *Anjo ou Demônio?,* respectivamente de 1944 e 1945) e Billy Wilder (que dirigiu *Pacto de Sangue,* em 1944, *Farrapo Humano,* em 1945, e o clássico *Crepúsculo dos Deuses,* em 1950).

Realizados com rapidez e baixo orçamento, foram vários os filmes noir de destaque lançados durante a guerra. Entre eles *O Homem dos Olhos Esbugalhados* (1940), o clássico *Relíquia Macabra* (1941), *Alma Torturada* (1942), *Sombra de uma Dúvida* (1943), de Hitchcock, *Até a Vista, Querida* (1944), *Um Retrato de Mulher* (1944), *A Curva do Destino* (1945) e *Alma em Suplício* (1945), para citar alguns exemplos.

# CAPÍTULO TREZE: O FILME NOIR

Cena de *O Falcão Maltês*, também conhecido como
*Relíquia Macabra*, ícone do filme noir

Após o conflito, o sucesso do estilo persistiu com *À Beira do Abismo* (1946), o marcante *Gilda* (1946), *Assassinos* (1946), *A Dama de Shanghai* (1947), de Orson Welles, *O Beijo da Morte* (1947), *O Justiceiro* (1947), *Do Lodo Brotou uma Flor* (1947), *Fuga ao Passado* (1947), *Paixões em Fúria* (1948), *Cidade Nua* (1948), *Entre Dois Fogos* (1948), *Baixeza* (1949), *Ato de Violência* (1949), *O Terceiro Homem* (1949), *Fúria Sanguinária* (1949), *Mercado Humano* (1949) e muitos outros.

Nem a chegada da televisão, nem os novos ares dos anos 1950, interromperam o ciclo, que continuou com *Pânico nas Ruas* (1950), *O Segredo das Joias* (1950), *Sombras do Mal* (1950), *Mortalmente Perigosa* (1950), *Passos na Noite* (1950), *Pacto Sinistro* (1951), *Um Preço para Cada Crime* (1951), *Cinzas que Queimam* (1951), *Só a Mulher Peca* (1952), *Anjo do Mal* (1953),

*A Cidade que Não Dorme* (1953), *Os Corruptos* (1953), *Cidade Tenebrosa* (1953), *Cidade do Vício* (1955), *A Morte num Beijo* (1955), *Mensageiro do Diabo* (1955), *O Grande Golpe* (1956), de Stanley Kubrick, *Tara Maldita* (1956), *A Maleta Fatídica* (1956) e *A Embriaguez do Sucesso* (1957).

Embora as mulheres misteriosas e os detetives de capa e chapéu sejam até hoje reverenciados e referenciados por filmes, desenhos animados e seriados de TV, o último longa-metragem considerado verdadeiramente noir, que encerrou todo um período, foi *A Marca da Maldade* (1958), de Orson Welles, que sintetiza todos os códigos do gênero.

# CAPÍTULO QUATORZE

# O NEORREALISMO ITALIANO

O impacto da Segunda Guerra Mundial sobre os hábitos, a sociedade e, evidentemente, sobre as artes e a cultura de todo o planeta foi nada menos que gigantesco. Em apenas seis anos (entre 1939 e 1945), o mundo sentiu na pele o estrago que um povo comandado pelo fanatismo foi capaz de fazer, assombrou-se com os primeiros mísseis de longo alcance destruindo diariamente uma cidade do porte de Londres, conheceu os horrores inimagináveis dos campos de extermínio em massa, enterrou milhões de corpos e se aterrorizou com o poderio de duas explosões atômicas.

Ao final do conflito, estarrecido diante de um nível de destruição e sofrimento jamais visto até então, o planeta ficou dividido entre as duas forças vencedoras: de um lado, os norte-americanos querendo capitalizar tudo e todos. Do outro, os soviéticos desejando socializar tudo e todos. Os ânimos se polarizaram entre as duas potências. Surgiu uma nova mentalidade. Quem viu a morte de perto tomou consciência da fragilidade da vida. Enquanto os homens estavam nos campos de batalha, as mulheres, agora trabalhadoras, começaram a descobrir seu potencial e passaram a rejeitar o rótulo machista de bibelôs domésticos.

Na condição de país derrotado, a Itália buscou exorcizar, por meio do seu cinema, as chagas do conflito. Para os cineastas italianos daquele período, mostrar a nova realidade do pós-guerra de forma crua, fiel e realista, quase documental, foi muito mais importante que roteirizar histórias de amor, comédias, romances ou aventuras ficcionais. Assim, a câmera foi para a rua, no meio da população, na mão, urgente, sem tripé, balançando e trepidando ao sabor dos fatos e dos acontecimentos. Misturaram-se atores, não atores, profissionais e amadores, o povo em geral. Dessa necessidade de registrar e denunciar a realidade, nasceu, de forma espontânea, sem manifestos ou programas, o que se convencionou chamar de Neorrealismo Italiano.

O Neorrealismo Italiano foi inaugurado oficialmente em 17 de novembro de 1945, data da estreia de *Roma, Cidade Aberta*, de Roberto Rossellini, apenas três meses e dez dias após o fim do conflito na Europa. A partir da história do escritor e roteirista Sergio Amidei, que se baseou em personagens reais, o filme registra as injustiças e a violência da ocupação nazista na capital. Marco inicial do movimento, *Roma, Cidade Aberta* começou a ser rodado antes mesmo do final da guerra, com a câmera de Rossellini captando às escondidas imagens das movimentações bélicas alemãs na Itália. O roteiro contou com a colaboração do próprio diretor e de um então jovem Federico Fellini, que só dirigiria seu primeiro filme sete anos mais tarde.

Essa nova maneira de entremear os estilos ficcional e documental mostrou-se tão inovadora que a distribuidora Artisti Associati rescindiu o contrato que assinara previamente com

Rossellini, alegando que esperava distribuir um filme, não uma mera reportagem. A comunidade cinematográfica internacional, porém, ovacionou a obra, que levou o Grande Prêmio do Júri em Cannes, a premiação de melhor filme estrangeiro pela Associação dos Críticos dos Estados Unidos, e conquistou uma indicação ao Oscar de roteiro.

Inaugurava-se assim, em grande estilo, um cinema estética e politicamente criado como bandeira de libertação contra a opressão, que visava dar voz e imagem à classe trabalhadora por intermédio da exposição da realidade social, em frontal contraposição à estética militarista, épica, formalista e opulenta do fascismo, que consagrou a cineasta Leni Riefensthal, no auge do III Reich.

Aldo Fabrizzi, em *Roma, Cidade Aberta*

Ainda que *Roma, Cidade Aberta* marque historicamente o início do movimento, dois filmes anteriores podem ser considerados as sementes precursoras do Neorrealismo Italiano: *Obsessão* (1943), longa de estreia de Luchino Visconti, e o documentário *Giorni di Gloria* (1945), direção coletiva de Giuseppe de Santis, Marcello Pagliero, Mario Serandrei e Visconti.

Alternando cenas documentais e reconstituições dramáticas, *Giorni di Gloria* registrou dois anos de ocupação alemã e resistência civil italiana, e teve lançamento anterior a *Roma, Cidade Aberta* (exatamente um mês antes), mas sem a mesma repercussão. E *Obsessão*, ainda que retratasse uma Itália realista, repleta de contrastes e injustiças sociais, não foi considerado, por vários estudiosos, um legítimo exemplo de cinema neorrealista italiano, por ter sido adaptado do livro *The Postman Always Rings Twice*, do norte-americano James Cain.

O filme, porém, talvez tenha "batizado" o movimento, visto que o crítico Umberto Barbaro o denominou "neorrealístico". A denominação é também atribuída ao jornalista italiano Mario Serandrei, que, anos antes, utilizara a mesma palavra para definir o drama francês *Cais das Sombras* (1938). Outras pesquisas indicam que o termo teria derivado de "Verismo" (de vero, verdadeiro), palavra utilizada pelo crítico Antonio Pietrangeli para adjetivar a estética cinematográfica italiana da época.

Independentemente de nomenclaturas e denominações, o Neorrealismo Italiano produziu alguns dos melhores e mais importantes filmes do pós-Segunda Guerra em todo o mundo. Um ano após *Roma, Cidade Aberta*, novamente com argumento de Sergio Amidei e com Fellini colaborando no roteiro, Rossellini dirigiu *Paisà* (1946), longa em seis episódios sobre as relações humanas desenvolvidas entre italianos e norte-americanos na Itália recém-liberta. Também interpretado por vários não atores, *Paisà* ganhou o Prêmio da Crítica em Veneza e foi indicado ao Oscar de Melhor Roteiro.

Lançado no Festival de Locarno, em 1948, *Alemanha, Ano Zero* marcou outro importante trabalho de Rossellini, que então passou a mirar suas lentes para a situação calamitosa pela qual a Alemanha do pós-Segunda Guerra passava. A fome, a destruição e o horror são mostrados pelos olhos de um garoto alemão que perambula sem destino nem futuro pelas ruas bombardeadas de Berlim.

*Ladrões de Bicicletas*, um dos grandes momentos do Neorrealismo Italiano

O ano de 1948 se mostrou dos mais frutíferos do Neorrealismo Italiano. Dirigido por Vittorio de Sica, *Ladrões de Bicicletas* representa um dos momentos maiores e mais poéticos do movimento. Ao narrar a pequena tragédia cotidiana de um homem em busca do trabalho e da dignidade perdidos com o roubo de sua bicicleta, o filme se reveste de uma aura humanista e social das mais representativas do período. Ganhou o Globo de Ouro de Melhor Filme Estrangeiro, recebeu o Oscar de Melhor Roteiro e foi considerado o melhor filme estrangeiro do ano pela Associação dos Críticos dos Estados Unidos.

Ainda em 1948, Visconti levou dois prêmios no Festival de Veneza com *A Terra Treme*, filme-denúncia de tom documental sobre um grupo de pescadores que se revolta contra as condições de trabalho impostas por seus patrões. No elenco, autênticos pescadores sicilianos.

A dupla Vittorio de Sica (direção) e Cesare Zavattini (argumento e roteiro) conquistou novamente o mundo com *Humberto D.* (1952), filme que extrai uma forte dose de humanidade a partir da corriqueira história de um funcionário público aposentado em dificuldade para pagar o aluguel do seu pequeno quarto. Participou da Seleção Oficial de Cannes e foi escolhido como o melhor filme estrangeiro pelos críticos nova-iorquinos.

Outras obras representativas do período são *Vítimas da Tormenta* (1946), *O Bandido* (1946), *Um Dia na Vida* (1946), *Trágica Perseguição* (1946), *Juventude Perdida* (1948), *Sem Piedade* (1948), *Sob o Céu de Roma* (1948), *Anni Difficili* (1948), *Fantasmi del Mare* (1948), *Em Nome da Lei* (1949), *Arroz Amargo* (1949), *É Primavera* (1950), *Ângelo, o Mulato* (1950), *Stromboli* (1950), *Páscoa de Sangue* (1950), *Domingo de Agosto* (1950), *O Caminho da Esperança* (1950), *Belíssima* (1951), *A Rebelde* (1951), *Milagre em Milão* (1951), *Europa '51* (1952), *Roma às 11 Horas* (1952), *Dois Vinténs de Esperança* (1952) e *Cidade da Perdição* (1952).

À medida que as sociedades iam se adaptando às novas realidades do pós-Segunda Guerra, e o mundo potencializava seu processo de polarização político/ideológico entre capitalismo e socialismo, o movimento neorrealista italiano foi gradualmente se esvaziando a partir da metade dos anos 1950. Deixou, porém, heranças indeléveis na cinematografia mundial, que influenciariam diretamente estéticas futuras, como a Nouvelle Vague francesa e o Cinema Novo brasileiro.

# CAPÍTULO QUINZE

## O Cinema Brasileiro Chega ao Mundo

Historicamente debilitado por crônicos problemas de produção, sucessivas crises financeiras, agressiva concorrência internacional e equivocadas estratégias de distribuição, o cinema brasileiro, em poucas oportunidades, conseguiu extrapolar os limites do próprio país e obter repercussão internacional. Duas dessas oportunidades aconteceram nos anos seguintes ao término da Segunda Guerra Mundial.

### Vera Cruz

Enriquecido pelo café e comandado por uma elite sintonizada com os padrões estrangeiros de produção cultural, o Estado de São Paulo se engajou, a partir dos anos 1940, na difícil empreitada de tornar o cinema nacional uma indústria sólida e lucrativa. O surgimento de uma nova burguesia industrial, alinhada aos preceitos modernistas de urbanidade e desenvolvimento, já havia fomentado na capital paulista, entre os anos de 1946 e 1948, a inauguração do Clube de Cinema de São Paulo (embrião da futura Cinemateca Brasileira), do Museu de Arte Moderna, do Museu de Arte de São Paulo e do Teatro Brasileiro de Comédia. Faltava investir na produção de cinema.

Nasce assim, em 1949, a Companhia Cinematográfica Vera Cruz, fundada por dois amigos de infância: o produtor e empresário napolitano Franco Zampari — também fundador do Teatro Brasileiro de Comédia — e o paulistano de ascendência italiana Francisco Matarazzo Sobrinho, do poderoso grupo industrial que leva seu sobrenome.

Respaldada financeiramente pelo Estado, leia-se Banco do Estado de São Paulo (Banespa), e sediada numa área de 100 mil metros quadrados no município vizinho de São Bernardo do Campo, a Vera Cruz já nasceu grande. O objetivo era produzir filmes de alta qualidade dentro de um padrão de produção semelhante ao dos maiores estúdios hollywoodianos da época. Importou-se, então, o que havia de mais moderno em termos de aparelhagem técnica e laboratorial, e o que de melhor se pôde obter no exterior em mão de obra especializada.

Impulsionados por maciças e eficientes campanhas publicitárias de divulgação e comunicação, os filmes da Vera Cruz começaram a mostrar seus valores e a colecionar premiações internacionais e elogios. Em 1950, o italiano Adolfo Celi dirigiu, e Eliane Lage protagonizou, *Caiçara*, selecionado para o Festival de Cannes. No ano seguinte, *Ângela* entrou na seleta lista da mostra competitiva de Veneza, festival que, em 1953, premiou *Sinhá Moça* com o Leão de Bronze. No mesmo ano, *O Cangaceiro* ganhou o prêmio de Melhor Filme de Aventura em Cannes, além de uma menção honrosa para a trilha sonora de Gabriel Migliori, o que abriu ao longa-metragem uma vitoriosa carreira internacional.

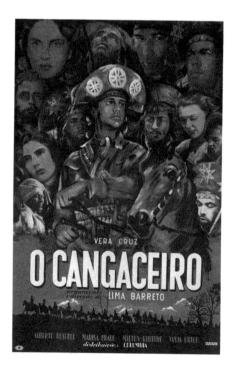

Cartaz do filme *O Cangaceiro*, dirigido por Lima Barreto

A Vera Cruz colocou o Brasil no roteiro dos grandes eventos cinematográficos mundiais, contudo, os resultados financeiros não corresponderam ao sucesso institucional: após breves três anos, a empresa estava quebrada, necessitando de mais aporte do Banespa. Problemas administrativos, gastos exorbitantes com a produção, desperdício de materiais e principalmente contratos malfeitos com a Columbia — a distribuidora dos filmes da Vera Cruz — rapidamente levaram a companhia à situação de insolvência. O banco assumiu, então, o controle da empresa, que lançou seus últimos filmes em 1954: as comédias *É Proibido Beijar* e *Candinho,* o policial *Na Senda do Crime,* o drama *Floradas na Serra,* e o documentário *São Paulo em Festa.*

Após 22 curtas, médias e longas produzidos entre 1949 e 1954, o sonho do cinema industrial paulista apagou suas luzes, embora a Vera Cruz, como empresa, ainda exista como administradora do acervo da companhia, e os grandes estúdios de São Bernardo do Campo permaneçam de pé, administrados pela prefeitura da cidade.

## Cinema Novo

O final da Segunda Guerra, a deposição de Getulio Vargas e a quebra de antigos paradigmas da sociedade mundial como um todo — e da brasileira, em particular — geraram, na virada da década de 1940, um clima propício ao debate e à renovação de ideias em vários campos do conhecimento. Tal debate no campo do audiovisual se potencializou a partir do Congresso Paulista do Cinema Brasileiro, realizado em abril de 1952, e da primeira edição do Congresso do Cinema Nacional, que teve lugar no Rio de Janeiro, em setembro do mesmo ano. Entre as várias discussões técnicas, estéticas e econômicas que brotaram nos dois eventos, ganhou espaço a pauta de tentar se definirem os temas e os caminhos de um cinema genuinamente brasileiro. Tal sentimento de brasilidade foi reforçado em 1953, na segunda edição do encontro, que passou a se denominar Congresso Nacional do Cinema Brasileiro. Na ocasião, foram propostas medidas de proteção ao filme nacional contra o produto importado.

Essas novas formas de se pensar a atividade cinematográfica no país mostraram que transformar o filme brasileiro em produto industrial, como quiseram — e durante algum tempo até conseguiram — os empreendedores da Cinédia, Vera Cruz, Maristela Filmes, Multifilmes e outras companhias cinematográficas, não era um pensamento unânime entre quem fazia — ou queria fazer — filmes brasileiros naquele momento. Refratário à industrialização e à consequente mercantilização do filme nacional, um grupo de jovens se mostrou mais sintonizado com a denúncia social proposta pelo Neorrealismo Italiano do pós-Segunda Guerra e com os ideais autorais da Nouvelle Vague francesa a partir de 1950, do que propriamente com a imitação do sistema norte-americano de estúdios. Um sistema, aliás, que já começava a implodir em seu país natal.

Eram jovens cineastas que não apenas miravam-se nos exemplos italianos e franceses, como também rejeitavam tanto o humor alegadamente alienante das comédias da Atlântida, como a industrialização da Vera Cruz, dissociada da realidade brasileira. Para eles, o novo filme brasileiro deveria ser eminentemente autoral e independente, e tratar, sem retoques, das nossas questões socioculturais.

Assim, em 1955, o jovem paulista Nelson Pereira dos Santos levou sua câmera para os morros cariocas e encantou as plateias

CAPÍTULO QUINZE: O CINEMA BRASILEIRO CHEGA AO MUNDO 131

logo em seu longa de estreia, *Rio 40 Graus*, marco inaugural do movimento que se convencionou chamar de Cinema Novo. O mesmo diretor, em 1963, voltou suas lentes para o Nordeste e adaptou para as telas o clássico da literatura nacional *Vidas Secas*, de Graciliano Ramos, sendo selecionado para a competição oficial de Cannes. Em 1964, o representante brasileiro em Cannes foi *Deus e o Diabo na Terra do Sol*, o segundo longa do baiano Glauber Rocha, enquanto Ruy Guerra, moçambicano radicado no Brasil, foi premiado em Berlim pelo filme *Os Fuzis*.

Em um curto período de tempo, o Cinema Novo, amparado financeiramente pelo Banco Nacional de Minas Gerais, fez do Brasil um país respeitado e admirado no seleto círculo de críticos, cinéfilos, estudiosos, acadêmicos e jurados de festivais de cinema em todo o mundo. Por ser vanguarda, propor rupturas tanto estéticas, como temáticas, e tratar de temas espinhosos, nunca foi um movimento de grande repercussão popular, mas deixou obras de grande valor, como *São Paulo S/A* (Luís Sérgio Person, 1965), *A Grande Cidade* (Cacá Diegues, 1966), *Terra em Transe* (Glauber Rocha, 1967), *Macunaíma* (Joaquim Pedro de Andrade, 1969), *O Dragão da Maldade contra o Santo Guerreiro* (Glauber Rocha, 1969), entre outros.

Porém, o lema dos cinemanovistas, "Uma ideia na cabeça e uma câmera na mão", não poderia mais ser levado adiante num país cujo governo militar não permitia ideias na cabeça. O recrudescimento da ditadura, a partir de 1968, inviabilizou um tipo de filme que se propunha a pensar, debater e discutir, decretando, assim, a morte do Cinema Novo.

Curiosamente, o único filme brasileiro a ganhar a prestigiada Palma de Ouro no Festival de Cannes não veio nem dos estúdios da Vera Cruz, nem dos jovens do Cinema Novo. Adaptado da peça de Dias Gomes, *O Pagador de Promessas* (1962), longa dirigido por Anselmo Duarte, foi uma produção da Cinedistri, empresa independente situada na região conhecida como Boca do Lixo, na capital paulista. O filme ainda foi indicado ao Oscar de Melhor Produção Estrangeira.

*O Pagador de Promessas*, única Palma de Ouro brasileira

# A Chegada da TV e o Fim dos Grandes Estúdios

Agosto de 1945 marcou o tão comemorado fim da Segunda Guerra Mundial. O ambiente de euforia gerado pelo término do conflito provocou uma onda consumista que se espalhou também pelo cinema. Após anos de medos, limitações e recessões, o norte-americano saiu às ruas para celebrar. Como resultado, o ano de 1946 entrou para a história como o de maior afluência de público nas bilheterias norte-americanas em todos os tempos até hoje, com mais de 4,6 bilhões de ingressos vendidos. Os números se mostraram ainda mais notáveis quando se verificou que a população do país, na época, era pouco superior a 140 milhões de habitantes. Para efeito de comparação, na década de 2010, a venda de ingressos de cinema nos Estados Unidos não alcançou a marca de 1,4 bilhão/ano, para uma população de aproximadamente 300 milhões.

A partir de 1947, contudo, a ida do norte-americano às salas de cinema começou a despencar de forma dramática. É comum atribuir a grande crise que se abateu sobre Hollywood, naquele instante, à fortíssima concorrência imposta pelo crescimento e a consolidação da televisão. O raciocínio é verdadeiro, porém incompleto. A sólida penetração dos aparelhos de TV nos lares norte-americanos, a partir da virada dos anos 1940, foi realmente um dos fatores para a queda desastrosa de faturamento dos estúdios cinematográficos do país. Mas não foi o único.

O início da crise começou a se desenhar ainda no final dos anos 1930, com a instalação do HUAC — House Un-American Actvities Commitee, um comitê do governo dos Estados Unidos destinado a investigar atividades consideradas subversivas. Basicamente, uma caça aos comunistas. Com a entrada do país na Segunda Guerra e o consequente direcionamento da indústria cinematográfica norte-americana para a produção de filmes de cunho patriótico, o HUAC passou a atacar mais insistentemente os executivos do cinema, alegando que vários cineastas não seriam "americanos o suficiente" para dirigir tal tipo de filme. Afinal, era significativo, naquele momento, o número de técnicos, roteiristas e diretores imigrantes vindos de uma Europa que se esfacelava em batalhas desde 1939. Terminado o conflito, a perseguição contra as ideologias de esquerda se tornou mais intensa, assumindo caráter de paranoia. Multiplicaram-se as comissões e subcomissões governamentais dispostas a varrer o comunismo, implantando um clima de terror, em que não faltavam listas negras de profissionais do cinema impedidos de trabalhar por causa de suas posições políticas. A perseguição rachou a atividade cinematográfica, que, então, se dividiu entre profissionais de tendências socialistas, de um lado, e delatores — de tendências conservadoras — do outro, gerando, assim, medos, desconfianças, acusações, rancores e desemprego nos estúdios de cinema.

Ao abalo da atividade provocado por tamanha paranoia persecutória, somaram-se outros fatores que levaram ao enfraquecimento

CAPÍTULO DEZESSEIS: A CHEGADA DA TV E O FIM DOS GRANDES ESTÚDIOS 135

da estrutura cinematográfica norte-americana no período. Entre eles, as barreiras comerciais que alguns países — Inglaterra, Itália e França, por exemplo — começaram a levantar contra a entrada de filmes norte-americanos em seus mercados, na tentativa de fortalecer suas cinematografias internas. Com a guerra tendo incendiado diversos sentimentos nacionalistas, ampliaram-se as necessidades de cada nação de construir um cinema forte e local, livre das influências externas. E o conflito também já dera mostras da grande importância do cinema, tanto na difusão de ideias e ideais como na obtenção de divisas via exportação, o que motivou vários países a cuidarem com mais vigor de seus mercados internos cinematográficos. Antes da guerra, 40% do faturamento obtido pelos cinco grandes estúdios norte-americanos do período (Warner, MGM-Loew's, RKO, 20th Century Fox e Paramount) vinham do mercado externo. Fatia considerável de um bolo que agora tendia a diminuir substancialmente.

O momento também foi marcado por várias decisões judiciais contrárias aos interesses financeiros dos grandes estúdios. Entre elas, a proibição das práticas comerciais conhecidas como blind-booking e block-booking, ou seja, o aluguel impositivo para as salas de exibição de lotes fechados de filmes, sem que o exibidor tivesse o direito de escolhê-los. Leis de natureza antitruste também proibiram que os estúdios produtores fossem proprietários de redes de salas de exibição, o que, até então, era corriqueiro.

Atribuiu-se também a forte queda do número de ingressos vendidos a partir de 1947 a certa inabilidade empresarial dos magnatas proprietários dos grandes estúdios, que demoraram a perceber que a Segunda Guerra alterara significativamente o perfil do público consumidor de cinema. O final do conflito fez emergir uma população mais conectada — mais engajada politicamente — com os conteúdos jornalísticos difundidos por rádios, jornais e revistas, mais atenta aos noticiários e à circulação de informações, enfim, menos ingênua e mais participativa. Enquanto crescia um público disposto a encontrar nos filmes temas mais reais e instigantes, os executivos dos estúdios permaneciam alheios às pesquisas de opinião, repetindo antigas fórmulas dos anos 1930, agora desgastadas por um novo comportamento sociocultural que se instalava no país.

Alterações socioculturais, aliás, não faltaram naquele inédito período. O baby boom, crescimento explosivo do número de nascimentos após o término da guerra, modificou significativamente os hábitos de milhares de jovens casais, agora dedicados a priorizar a casa e os filhos em seus orçamentos domésticos. Os números são expressivos: em janeiro de 1946, foram registrados 222.721 nascimentos nos Estados Unidos, cifra que subiu para 339.499 em outubro do mesmo ano. Durante toda a década de 1930, o país registrou 24 milhões de nascimentos, número que saltou para 32 milhões na década seguinte.

Foi nesse contexto de conforto familiar e ímpeto consumista que o aparelho de televisão despontou como um dos itens mais desejados pela população norte-americana do pós-guerra. Se em 1948 a televisão ainda era uma novidade para poucos, presente apenas em 0,4% dos domicílios, cinco anos depois, ela chegou a 46,3% dos lares do país. E, no ano seguinte (1954), já exercia sua influência em mais da metade da população, instalada em 55,7% dos domicílios. Um crescimento espantoso que elevou o número para 83,2% em 1960. As emissoras de TV, que eram 16 no país em 1948, chegaram a 354 em 1954.

O impacto da concorrência abalou os grandes estúdios, que passaram a ver seu público minguar. Para combater a pequena

# CAPÍTULO DEZESSEIS: A CHEGADA DA TV E O FIM DOS GRANDES ESTÚDIOS

tela em preto e branco que invadira implacavelmente os lares norte-americanos, os produtores contra-atacaram com produções caras, vistosas, luxuosas, grandiosas e com o máximo de cor possível. Não por acaso, surgiram, nesse momento, novos sistemas de projeção, como o Cinerama (de 1952), o CinemaScope (desenvolvido pela Fox em 1953), o Vistavision (criado pela Paramount em 1954), o renascimento do antigo 70mm, além de tentativas, nem sempre bem-sucedidas, de criar a ilusão de terceira dimensão (3D) com o uso de óculos de lentes coloridas.

A proposta era ampliar ao máximo possível a tela, alargar o campo de visão, aumentar o som, oferecer um espetáculo visual inalcançável para os tubos de TV, produzir e exibir filmes que proporcionassem impacto atraente o suficiente para tirar as famílias do aconchego do lar.

*Ben-Hur*, tentativa épica de combater a televisão

Para fazer o maior dos cinemas, a inspiração foi o maior dos livros. Nasceram, dessa tendência, os grandes épicos bíblicos, como *Sansão e Dalila* (1949), *O Manto Sagrado* (1953), *O Egípcio* (1954), *Os Dez Mandamentos* (1956), *Ben-Hur* (1959), *O Rei dos Reis* (1961), entre outros. Mas a solução se mostrou insuficiente, pois os custos chegaram às alturas, os esforços de produção foram igualmente épicos e o retorno de bilheteria nem sempre garantido. Num momento de mudança radical de costumes e comportamentos, até que ponto o público ainda estaria disposto a ver antigas histórias milenares? O golpe de misericórdia no gênero veio com *Cleópatra* (1963), filme ostentação, de orçamento estimado em 30 milhões de dólares (mais que o dobro do custo de *Ben-Hur*), rejeitado pelo público e que quase resultou na falência da 20th Century Fox.

Os esforços épicos dos estúdios obtiveram resultados apenas paliativos, e a evasão do público das salas de cinema repercutiu diretamente na produção. Nos anos 1940, os Estados Unidos lançaram uma média de 407 longas-metragens ao ano, número que caiu para 294 na década de 1950, e para 153 durante os anos 1960.

Foram todos esses fatores somados — do enfraquecimento econômico e político da estrutura cinematográfica à avassaladora chegada da televisão, passando pelas mudanças sociais do pós-guerra — que desencadearam a grande crise que culminaria com o fim dos grandes estúdios.

*Crepúsculo dos Deuses* (1950) se transformou no filme-símbolo de todo esse processo, ao mostrar a decadência de uma antiga diva do cinema que enlouquecia diante das câmeras de TV, após não conseguir retomar a carreira. Assim como Nora Desmond, personagem do filme, os magnatas dos grandes estúdios também se aproximavam de seu ocaso. Louis B. Mayer, mito da chamada Era de Ouro de Hollywood, foi a primeira grande baixa da indústria, demitindo-se compulsoriamente da empresa que levava seu nome — Metro-Goldwyn-Mayer —, em 1951. Darryl F. Zanuck abandonou a chefia de produção da 20th Century Fox cinco anos mais tarde. David O. Selznick

CAPÍTULO DEZESSEIS: A CHEGADA DA TV E O FIM DOS GRANDES ESTÚDIOS 139

produziu seu último longa em 1957 e morreu em 1965. Harry Cohn lutou contra os acionistas da empresa até 1958, ano de sua morte. Samuel Goldwyn se aposentou em 1959, enquanto Barney Balaban, presidente da Paramount desde os anos 1930, saiu da empresa em 1964. O mais longevo foi Jack Warner, que conseguiu uma sobrevida no cinema até seus 80 anos de idade, assinando pela última vez como produtor em 1972.

# CAPÍTULO DEZESSETE

# A NOUVELLE VAGUE

Mesmo estando do lado vencedor, a França saiu da Segunda Guerra Mundial com o orgulho ferido. A ocupação nazista e a divisão do país entre a Resistência e os Colaboracionistas abriram chagas profundas na sociedade francesa, abalada pela triste imagem de Hitler desfilando triunfante pela avenida Champs-Elysées, destruindo — ainda que por um breve momento — os ideais de Liberdade, Igualdade e Fraternidade, tão caros ao país.

Se durante o conflito a França havia sido militarmente ocupada pelos alemães, no pós-guerra o país começava a ver seu negócio cinematográfico mercadologicamente ocupado pelos norte-americanos, cada vez mais incisivos nas políticas de exportação de suas produções. Novamente, era preciso resistir.

Em 1951, a união de críticos e estudiosos da revista *Revue du Cinéma* — que havia sido fechada dois anos antes — aliou-se a membros dos cineclubes parisienses Ciné-Club du Quartier Latin e Objectif 49, e deram origem a uma nova publicação que se transformou no centro difusor de um novo pensamento cinematográfico francês: a revista *Cahiers du Cinéma*, fundada por

André Bazin, Jacques Doniol-Valcroze e Joseph-Marie Lo Duca. Tendo entre seus redatores e colaboradores nomes como Robert Bresson, Jean Cocteau, Alexandre Astruc, Éric Rohmer, Maurice Scherer, Jacques Rivette, Jean-Luc Godard, Claude Chabrol e François Truffaut, a *Cahiers* abraçou a teoria do cinema autoral, esboçada por Alexandre Astruc, em 1948, e consolidada por Truffaut, em 1954. No artigo "O nascimento de uma nova vanguarda: a Câmera", publicado no semanário *L'Écran Français* em 1948, Astruc criou o termo "camera stylo" (câmera-caneta), que propõe que o ato de filmar, para o cineasta, seja tão livre, solto, individual e pessoal quanto o ato de escrever é para o escritor. Baseado nesse conceito, o jovem Truffaut, de 21 anos, publicou, na *Cahiers du Cinéma* de janeiro de 1954, o texto "Uma certa tendência do cinema francês", no qual criou a expressão "la politique des auteurs", que defende o filme como um ato de expressão autoral, que reflita o pensamento individual e pessoal de quem filma, não muito diferente de um quadro, um livro ou uma música, ainda que a produção seja coletiva.

Em contraposição ao sistema de estúdios norte-americano, nasceu na França essa nova forma de filmar, propondo um cinema mais intimista e menos comercial, em que inovação e transgressão eram palavras de ordem. Sem muito apoio financeiro e não raro utilizando recursos do próprio bolso, o grupo de jovens cineastas defendeu um cinema feito de filmes mais baratos, sem preocupações formais quanto à rigidez da linearidade narrativa, montagem mais fragmentada, diálogos e interpretações com mais improvisos, além de mais liberdade nos posicionamentos de câmera. Tematicamente, prevaleceu certa liberação de costumes e um repúdio aos famosos heróis de caráter ilibado, típicos do cinema norte-americano.

Como no Neorrealismo Italiano, a câmera também foi para a rua, então ainda mais leve e solta, quase documental, mesmo porque o avanço da tecnologia da época permitia equipamentos cada vez mais leves. Ironicamente, o pensamento libertário desse novo cinema francês foi viabilizado por um desenvolvimento técnico obtido graças aos esforços de guerra, por meio dos quais a documentação cinematográfica do conflito fez surgir uma nova geração de câmeras e sistemas de captação de som com maior portabilidade e agilidade. No entanto, diferentemente dos italianos, os franceses preferiram não direcionar suas lentes para a situação social e política do país, e, sim, para os temas existenciais, a discussão da liberdade individual, as relações humanas, os conflitos da alma. Se o Neorrealismo Italiano era sociológico, a "nova onda" francesa era psicológica.

Atenta a tais diferenciações, a escritora, jornalista e política suíça radicada na França, Françoise Giroud, publicou, na revista *L'Express*, um artigo batizando esses novos filmes franceses como representantes de uma nova onda, ou uma "Nouvelle Vague".

*Nas Garras do Vício*, de 1958, foi considerado o marco inaugural do movimento. Escrito e dirigido pelo então jovem estreante Claude Chabrol, conta a história de um rapaz que volta à cidade natal e tenta ajudar o melhor amigo, que se tornou alcoólatra. *Nas Garras do Vício* venceu o Prêmio de Direção no Festival de Locarno daquele ano. Logo em seguida, surgiram obras que se tornaram clássicos imediatos. Em 1959, Truffaut se baseou em sua própria história de menino socialmente desajustado para escrever e dirigir seu primeiro longa, *Os Incompreendidos*. Levando a câmera para a rua, utilizando atores amadores e uma linguagem próxima ao documental, o filme encantou o mundo, ganhando não apenas o Prêmio de Direção em Cannes, como também uma indicação ao Oscar de Melhor Roteiro Original, além da premiação de Melhor Filme Estrangeiro pela Associação dos Críticos de Nova York. No ano seguinte, também com roteiro de Truffaut, Jean-Luc Godard estreou na direção de longas com *Acossado*, sobre o descompromissado e explosivo relacionamento entre uma estudante americana em Paris e um charmoso fugitivo da polícia. Com uma montagem fragmentada, repleta de saltos propositais que rompiam com a estrutura clássica, o filme foi premiado como Melhor Direção no Festival de Berlim.

*Acossado*, de Godard: câmera na rua marca a Nouvelle Vague

Na mesma safra de *Os Incompreendidos* e *Acossado*, estão *Hiroshima Meu Amor* (1959), de Alain Resnais; *Os Primos* (1959), de Claude Chabrol; *Zazie no Metrô* (1960), de Louis Malle, *Paris nos Pertence* (1961), de Jacques Rivette, entre vários outros.

Cineastas brilhantes, Godard e Truffaut, os nomes mais icônicos da Nouvelle Vague, se desentenderam por questões estéticas e políticas a partir dos movimentos sociais de 1968, e trocaram extensa correspondência, levando-os a romper relações. A Nouvelle Vague em si também deu sinais de desgaste a partir dos anos 1970, mesmo porque nada pode ser "nouvelle" por muito tempo. Ainda assim, suas contribuições técnicas, sociais, políticas e cinematográficas revolucionaram o cinema mundial de maneira irreversível ao quebrar paradigmas clássicos e estabelecer novos padrões estéticos mais sintonizados com os novos tempos que viriam.

# CAPÍTULO DEZOITO

## Contracultura

Nos anos 1960, debilitados pela concorrência com a televisão, com as lideranças envelhecidas e fora do compasso imposto por uma nova sociedade que rapidamente se modernizava e se transformava, os grandes estúdios de Hollywood foram comprados por conglomerados empresariais, transformando-se em apenas mais uma forma de se buscar lucro. A Paramount foi absorvida pelo grupo Gulf+Western, que mais tarde seria vendido à Viacom. A Warner foi comprada pela Kinney, empresa oriunda do setor de estacionamentos, e anos depois daria origem ao grupo de comunicações TimeWarner. A lendária MGM passou por várias mãos, incluindo um magnata do ramo da hotelaria e um banco italiano. A Universal chegou a ser controlada por um grupo europeu do setor de tratamento e saneamento de águas, a Columbia atualmente faz parte da gigante japonesa Sony, enquanto a Fox — do magnata australiano Rupert Murdoch, da News Corporation — vendeu o controle de seus ativos para a Disney, em dezembro de 2017.

Todos esses nomes de grande representatividade para o cinéfilo — Warner, Paramount, Fox, Universal, MGM e Columbia

— continuam midiaticamente presentes não apenas na atividade cinematográfica, como também em vários outros setores do entretenimento. Porém, não têm mais qualquer conexão com as famílias de seus pioneiros fundadores que alavancaram os primeiros anos da história do cinema. São apenas marcas e logotipos hoje utilizados por conglomerados financeiros que pouco ou nada têm a ver com a chamada Sétima Arte.

O esfacelamento dos grandes estúdios hollywoodianos fez com que o cinema norte-americano passasse por uma reinvenção. Com a própria sociedade alterando seus comportamentos e valores, não houve mais espaço e público para as formulações clássicas e conservadoras que Hollywood vinha desenvolvendo desde os primórdios do longa-metragem.

Afinal, desde meados dos anos 1950, o mundo já sinalizava grandes mudanças. Os baby boomers, agora adolescentes e pré-adolescentes, foram descobertos pelo mercado como consumidores, tornando-se alvo das novas criações e invenções da chamada "indústria cultural". Iniciou-se uma era de profundas transformações. Separados apenas por algumas semanas, no mesmo ano de 1954, chegaram às lojas os primeiros discos de Bill Halley e seus Cometas, e de Elvis Presley, anunciando a revolução do rock'n'roll.

Em 1955, ano da inauguração da primeira lanchonete de um dos maiores ícones do consumo pós-guerra — o McDonald's —, a Warner lançou *Juventude Transviada*, pioneiro em retratar as aflições do novo jovem que despontava para a vida e para o mercado. O filme teve sua première mundial em 26 de outubro, menos de um mês após a morte do protagonista, James Dean, que, aos 24 anos, destruíra seu Porsche Spider numa estrada californiana.

James Dean, símbolo de uma nova geração

Em 1956, estudantes húngaros marcharam em Budapeste contra o domínio da URSS. Em 1957, os soviéticos colocaram no espaço o Sputnik, o primeiro satélite artificial da história. A Revolução Cubana eclodiu no primeiro dia de 1959 e, em 1961, já havia um homem no espaço: Yuri Gagarin. Em abril do mesmo ano, a Crise da Baía dos Porcos, auge da Guerra Fria entre soviéticos e norte-americanos, por pouco não explodiu o planeta com seus mísseis atômicos, e, em 1963, a explosão veio de além-mar, com o lançamento do disco *Please, Please Me*, o primeiro dos Beatles. Em 22 de novembro do mesmo ano, o mundo assistiu, atônito, ao assassinato de John F. Kennedy, que colocou fim a uma era de otimismo liberal e abriu as portas, já em 1964, para uma participação mais agressiva dos Estados Unidos na Guerra do Vietnã.

Nesse mesmo icônico ano de 1964, a pequena empresa britânica Walter Shenson Films estreou em Londres sua produção *Os Reis do Iê-Iê-Iê*, longa-metragem com ritmo e estética do que viria ser mais tarde conhecido como videoclipe, e veículo cinematográfico-publicitário para divulgação de um quarteto que estava revolucionando a juventude da época: The Beatles.

No Brasil, estreou o também revolucionário *Deus e o Diabo na Terra do Sol*, como contraponto libertário a um país que, em março, acabara de sofrer um Golpe de Estado.

Toda essa efervescência mundial pavimentou o caminho para o movimento hippie de contracultura, que eclodiu na Califórnia em 1965, ano em que 40% da população norte-americana tinha menos de 20 anos. A situação se chocou frontalmente com a estrutura dos grandes estúdios norte-americanos, que, naquele mesmo ano de 1965, mantinham Darryl F. Zanuck (63 anos) no comando da 20th Century Fox, Jack Warner (73 anos) na chefia da Warner Bros., e Adolph Zukor (92 anos) à frente da Paramount.

A Revolução Cultural Chinesa, em 1966, e a morte de Che Guevara, em 1967, encaminharam os acontecimentos do histórico 1968, ano do assassinato de Martin Luther King (abril), dos movimentos estudantis/operários que paralisaram a França (maio), do assassinato de Bob Kennedy (junho) e da invasão soviética em Praga (agosto). Assim, era historicamente inviável que as antigas formulações dos magnatas dos grandes e paleozoicos estúdios cinematográficos continuassem a prevalecer. As consequências temáticas do desmonte dos grandes estúdios, que abriram espaço para uma nova forma de se fazer e pensar cinema, começaram a ser visíveis nas telas.

CAPÍTULO DEZOITO: CONTRACULTURA

No segundo semestre de 1967, o conservador mercado cine-matográfico norte-americano foi sacudido pela investigação policial de um crime de origem racial, por um presidiário que se recusou a obedecer às ordens da penitenciária, por uma jovem branca e rica disposta a se casar com um negro, pela glamori-zação de um casal de criminosos, e pela história de amor e sexo entre um jovem estudante e uma mulher de meia-idade. São eles, respectivamente, *No Calor da Noite*, *Rebeldia Indomável*, *Adivi-nhe Quem Vem para Jantar*, *Bonnie & Clyde — Uma Rajada de Balas*, e *A Primeira Noite de um Homem*. Cinco grandes filmes que escancararam temas que estavam longe de ser novidade na liberal cinematografia europeia, mas que provocaram furor num país que, havia mais de 30 anos, vivia sob o famigerado Código Hays de censura ao cinema.

Já no ano seguinte, o nova-iorquino Stanley Kubrick filmou, na Inglaterra, o revolucionário *2001: Uma Odisseia no Espaço*, e o francês Roman Polanski rodou, nos Estados Unidos, o assusta-dor *O Bebê de Rosemary*.

Em maio de 1969, durante a competição oficial do Festival de Cannes, estreou uma revolução cinematográfica chamada *Easy Rider (Sem Destino)*. Duas produtoras sem carreira alguma no cinema (a estreante Pando Company e a Raybert Productions, do seriado de TV *Os Monkees*) levantaram um orçamento estimado em menos de meio milhão de dólares para levar às telas um filme escrito, interpretado e dirigido por uma dupla de jovens atores sem experiência em roteiro e/ou direção cinematográfica: Dennis Hopper e Peter Fonda, respectivamente de 33 e 29 anos. Inovador, livre das amarras narrativas convencionais, ousando abordar aber-tamente temas como drogas e violência, e dando protagonismo heroico a jovens personagens outsiders, *Sem Destino* se transformou instantaneamente no filme-símbolo daquele momento histórico libertário. Já nos créditos iniciais, a trilha sonora deu seu recado: *Born to Be Wild* (Nascido para Ser Selvagem, em tradução livre). O longa não só venceu a Palma de Ouro, como também conquistou o respeito do mercado ao faturar, nas bilheterias do mundo inteiro, cerca de 150 vezes seu custo.

## A NOVA HOLLYWOOD

*Sem Destino* ratificou e validou o forte movimento de toda uma nova geração de inquietos cineastas norte-americanos que aproveitaram o espaço deixado pela fragmentação dos grandes estúdios para injetar sangue novo nos filmes e nas telas. Ainda em 1969, viriam *Meu Ódio Será sua Herança* e *Perdidos na Noite*, com os primeiros anos da década seguinte sendo brindados com *M\*A\*S\*H* (1970), *Cada Um Vive Como Quer* (1970), *Operação França* (1971), *Ânsia de Amar* (1971), *A Última Sessão de Cinema* (1971), *Onde os Homens São Homens* (1971) e *O Poderoso Chefão* (1972).

Diferentemente das décadas anteriores, nesse novo cinema, mais ousado e criativo, os diretores tiveram mais poderes que os produtores, como já era habitual na Europa havia mais de 20 anos. Eram jovens talentos que traziam na bagagem não apenas o conteúdo aprendido em escolas de cinema (uma novidade na época, nos Estados Unidos), como também um amplo repertório de referências típico de quem havia nascido e crescido diante dos estímulos da televisão. Não por acaso, o movimento foi batizado pela imprensa de Nova Hollywood.

A safra norte-americana (não necessariamente hollywoodiana) dos anos 1970 mostrou-se uma das mais ricas, produzindo obras de conteúdo e vigor criativo que incluíam, além das já citadas,

*Laranja Mecânica* (1971), *Klute, o Passado Condena* (1971), *Cabaret* (1972), *A Última Missão* (1973), *Lua de Papel* (1973), *Loucuras de Verão* (1973), *Serpico* (1973), *Caminhos Perigosos* (1973), *Terra de Ninguém* (1973), *O Poderoso Chefão II* (1974), *A Conversação* (1974), *Nashville* (1975), *Shampoo* (1975), *Tubarão* (1975), *Um Dia de Cão* (1975), *Carrie, a Estranha* (1976), *Todos os Homens do Presidente* (1976), *Taxi Driver* (1976), *Noivo Neurótico, Noiva Nervosa* (1977), *Guerra nas Estrelas — Uma Nova Esperança* (1977), *Cinzas no Paraíso* (1978), *Vivendo na Corda Bamba* (1978), *Amargo Regresso* (1978), *All That Jazz — O Show Deve Continuar* (1979), *Manhattan* (1979) e *Apocalypse Now* (1979), entre tantos outros sucessos inesquecíveis.

Al Pacino, em *O Poderoso Chefão II*

É possível dividir a Nova Hollywood em duas fases. A primeira, composta por diretores nascidos nos anos 1930, revelou nomes como Peter Bogdanovich, Francis Ford Coppola, Warren Beatty, Stanley Kubrick, Dennis Hopper, Mike Nichols, Woody Allen, Bob Fosse, Robert Benton, Arthur Penn, John Cassavetes, Alan Pakula, Paul Mazursky, Bob Rafelson, Hal Ashby, William Friedkin, Robert Altman e Richard Lester. A segunda fase trouxe talentos da geração baby boom, quase todos nascidos após a Segunda Guerra, como Martin Scorsese, John Milius, Paul Schrader, Brian De Palma, Terrence Malick, e dois nomes que praticamente fizeram suas revoluções particulares dentro da revolução maior: Steven Spielberg e George Lucas.

Além de arejar as mentes das plateias e dar voz aos jovens cineastas norte-americanos, a Nova Hollywood também borrou as fronteiras geográficas, abrindo caminho para que estúdios e diretores europeus desenvolvessem suas obras em parceria mais estreita com produtoras e distribuidoras norte-americanas. Foi assim que o público dos Estados Unidos obteve acesso mais amplo a filmes de diretores estrangeiros, como *Era uma Vez no Oeste* (1968), *Mulheres Apaixonadas* (1969), *Amargo Pesadelo* (1972), *O Último Tango em Paris* (1972), *Inverno de Sangue em Veneza* (1973), *Chinatown* (1974), *Um Estranho no Ninho* (1975), *1900* (1976), *Pretty Baby: Menina Bonita* (1978), *Atlantic City, USA* (1980), entre outros.

Despontou uma nova geração de atores e atrizes, como Jack Nicholson, Robert De Niro, Dustin Hoffman, Al Pacino, Gene Hackman, Richard Dreyfuss, James Caan, Robert Duvall, Harvey Keitel, Elliott Gould, Barbra Streisand, Jane Fonda, Faye Dunaway, Jill Clayburgh, Ellen Burstyn, Dyan Cannon e Diane Keaton.

## CAPÍTULO DEZOITO: CONTRACULTURA

Tal ciclo de criatividade e questionamentos se encerrou nos anos 1980, momento em que o mundo deu uma nova guinada sociocultural, dessa vez para a direita, com a vitória de Ronald Reagan para a presidência dos Estados Unidos em 1981, e de Margareth Thatcher como primeira-ministra do Reino Unido a partir de 1979. A criação artística cinematográfica de qualidade não encontrou eco em tempos conservadores, bélicos e truculentos.

# CAPÍTULO DEZENOVE

## O Cinema de Animação

Pode parecer paradoxal, mas a invenção do cinema de animação seria anterior à própria invenção do cinema. A história registra 28 de outubro de 1892 (três anos antes do histórico evento dos irmãos Lumière) como a data da primeira exibição projetada de desenhos animados no mundo. A sessão — ocorrida em Paris e promovida pelo francês Charles-Émile Reynaud — trazia no programa os curtas animados *Un bon bock*, *Le Clown et ses chiens* e *Pauvre Pierrot*. Antes da existência da película flexível de celuloide — que seria a base do cinema —, esses curtas eram feitos com centenas de imagens translúcidas de 6 por 6 centímetros cada, desenhadas e coloridas individualmente, fixadas sobre uma tira flexível de couro e projetadas por um sistema de roldanas e espelhos que Reynaud batizou de Théâtre Optique.

O espetáculo, chamado Pantomimes Lumineuses trazia fundamentalmente todos os requisitos básicos do que viria a ser o cinema, mas acabou superado em popularidade pelo Cinematógrafo de Lumière, no início do século 20, e logo esquecido. Transtornado, Reynaud atirou no rio Sena boa parte de seu

CAPÍTULO DEZENOVE: O CINEMA DE ANIMAÇÃO

trabalho e terminou seus dias internado numa instituição para doentes mentais, em 1918.

Já nos primeiros filmes da história, ainda no final do século 19, é possível constatar rudimentos de animação cinematográfica, como stop motion, ou até mesmo a coloração manual de fotogramas. Porém, experiências mais elaboradas no setor surgiram a partir de 1906, ano em que a Vitagraph produziu *Humorous Phases of Funny Faces*, do inglês J. Stuart Blackton. O curta mostra o próprio Blackton desenhando rostos cômicos que "ganham vida", animados na tela. Dois anos depois, o cartunista e caricaturista francês Émile Cohl realizou para a Gaumont o curta *Fantasmagorie*, tido como o primeiro a contar uma história e a não mostrar a mão do artista desenhando os traços. Atribui-se também a Cohl a criação do primeiro personagem regular de desenhos animados: Fantoche, um homenzinho que aparece em vários de seus trabalhos. Entre 1908 e 1918, Cohl realizou mais de 100 curtas de animação.

Em 1917, registrou-se o primeiro desenho animado de longa-metragem: o argentino *El Apóstol*, uma sátira política que consumiu 50 mil desenhos criados por uma equipe de cinco animadores coordenados pelo caricaturista Diógenes Taborda, sob a direção de Quirino Cristiani.

Já o cartunista nova-iorquino Winsor McCay é tido como o primeiro grande sucesso de público na área, tendo criado importantes curtas de animação, como *How a Mosquito Operates* (1912) e *Gertie the Dinosaur* (1914), entre outros. A boa aceitação da animação cinematográfica pelo público atraiu os investimentos do magnata do jornalismo William Randolph Hearst, que, em 1916, fundou seu próprio estúdio de animação, o International Film Service, com o objetivo de dar vida às tiras cômicas publicadas em seus jornais. Assim, pularam do papel para as telas personagens famosos, como Krazy Kat, The Captain and the Kids (no Brasil, Os Sobrinhos do Capitão), Bringing Up Father (no Brasil, Pafúncio & Marocas) e Happy Hooligan, entre outros, mas a empreitada de Hearst durou somente quatro anos.

Em 1919, no curta *Feline Follies*, surgiu um dos personagens mais famosos e longevos da história da animação no cinema: o Gato Félix, criação do cartunista australiano Pat Sullivan e do desenhista norte-americano Otto Messmer, ambos então trabalhando para a Paramount. Criativo, esperto, flertando com o surreal, capaz de se transformar numa mala para viajar de graça, ou de se espremer pelo fio do telefone para chegar ao outro lado da linha, Félix obteve sucesso imediato, fazendo com que seus criadores saíssem da Paramount e se estabelecessem como produtores independentes. Em novas releituras e reestilizações, o personagem nunca saiu da mídia e, desde 2014, seus direitos são de propriedade da DreamWorks.

Nos anos 1910, os irmãos Max e Dave Fleischer prestaram uma importante contribuição à animação cinematográfica com a invenção do Rotoscópio, aparelho que permite a projeção quadro a quadro de filmes de ação ao vivo por detrás de uma mesa de luz, possibilitando ao artista desenhar em papel ou celuloide por cima dessa mesa, como que "colando" do filme, reproduzindo assim a precisão dos movimentos humanos. Em 1921, os irmãos formaram a empresa Out of the Inkwell Films (posteriormente, Fleisher Studios), onde misturaram animação com ação filmada e popularizaram Koko, um pequeno palhaço que saía do tinteiro para interagir em ambientes filmados pelo processo normal. Em 1930, Max (em parceria com o desenhista Myron Grim Natwick) criou a sensual Betty Boop e, dois anos

CAPÍTULO DEZENOVE: O CINEMA DE ANIMAÇÃO

depois, comprou os direitos do personagem Popeye, criado em 1929 pelo cartunista E.C. Segar. A estreia de Popeye no cinema aconteceu em 1933 no curta animado *Popeye the Sailor*, no qual o marinheiro contracena com a própria Betty Boop. Ambos se tornaram grandes ícones da animação em todos os tempos.

Na mesma época, outro par de irmãos concorreu com os Fleischer: Roy e Walt Disney fundaram, em 1923, a Disney Brothers, produtora da série *Alice in Cartoonland* (1924), que misturava animação com ação ao vivo. Ali trabalharam também Ub Iwerks, antigo parceiro de Walt, e Friz Freleng, que mais tarde seria um dos principais animadores dos desenhos do coelho Pernalonga e produtor da série *A Pantera Cor de Rosa*.

Em 1927, a Disney Brothers criou para a Universal o personagem Oswald the Lucky Rabbit (no Brasil, Coelho Osvaldo), com grande sucesso. Porém, os Disney não registraram os direitos sobre o personagem — que ficaram com a Universal — e se viram obrigados a criar um novo produto para garantir a sobrevivência da empresa. Assim nasceu Mickey Mouse, que estreou mudo em *O Avião de Mickey*, em maio de 1928, e falado seis meses depois no curta *O Vapor Willie*, com muito sucesso. Pateta (em 1932), Pato Donald (1934) e vários outros iriam se incorporar à grande galeria de personagens Disney.

Em 1937, Disney lançou o ambicioso *Branca de Neve e os Sete Anões*, primeiro longa sonoro de animação, uma aposta milionária que consumiu quase quatro anos de produção, desafiando o pensamento comum da época de que o público infantil não teria concentração suficiente para ficar 83 minutos sentado assistindo. Faturando 6,5 milhões de dólares — mais que o quádruplo dos custos de produção —, *Branca de Neve* mudou os rumos do mercado, alavancando uma sequência de longas animados baseados em histórias clássicas, como *Pinóquio* (1940), *Dumbo* (1941), *Bambi* (1942), *Cinderela* (1950), *As Aventuras de Peter Pan* (1953), *A Dama e o Vagabundo* (1955), *Mogli, o Menino Lobo* (1967), *Aladdin* (1992), *O Rei Leão* (1994) e vários outros que fizeram a Disney reinar absoluta, durante décadas, como produtora de longas animados.

Pôster anunciando uma animação sonora com o Mickey Mouse

CAPÍTULO DEZENOVE: O CINEMA DE ANIMAÇÃO

Um reinado que só começou a ser ameaçado na virada do século 20 por duas importantes empresas que visavam ao mesmo segmento: a Pixar e a DreamWorks. Criada em 1979 como uma divisão de computação gráfica da Lucasfilm, de George Lucas, e comprada em 1986 por Steve Jobs, a Pixar lançou *Toy Story* (1995), o primeiro longa de animação totalmente feito em computação, e solidificou sua posição junto ao grande público com *Vida de Inseto* (1998), *Monstros S.A.* (2001), *Procurando Nemo* (2003), *Os Incríveis* (2004), *Carros* (2006), *Ratatouille* (2007) e *WALL-E* (2008), entre outros. Em 2017, a Pixar lançou seu 19º filme de animação, *Viva: A Vida É uma Festa*, vencedor do Oscar na categoria.

Já a DreamWorks, fundada em 1994 por Steven Spielberg e detentora de três Oscars, fez seu primeiro longa de animação em 1998 (*FormiguinhaZ*), obtendo posteriormente muito sucesso com *Shrek* (2001), *O Espanta Tubarões* (2004), *Madagascar* (2005) e *Kung Fu Panda* (2008), entre outros. A Disney garantiu a liderança no segmento de longas de animação comprando a Pixar, em 2006. Dez anos depois, a DreamWorks Animation foi vendida para a Universal.

## ETERNOS PERSONAGENS ANIMADOS

No segmento de curtas de animação, os produtores e animadores Walter Lantz (em conjunto com a Universal), Leon Schlesinger (em parceria com a Warner) e Joseph Hanna e William Barbera (distribuídos pela Metro) escreveram seus nomes na história do cinema com personagens que até hoje atravessam gerações.

Em 1933, foi aberta a Warner Bros. Cartoons, uma divisão da Warner criada especificamente para esse mercado, em parceria com o produtor independente Leon Schlesinger. Dali saíram personagens históricos como o porco Gaguinho (1935), Patolino (1937), o coelho Pernalonga (1940), o gato Frajola (1941), Piu--Piu (1942), a dupla Bip Bip e Coiote (1949), e vários outros, sempre dentro de um estilo de humor frenético, anárquico e surreal que marcou época. Cartunistas, desenhistas e animadores como Tex Avery, Bob Clampett, Ben Hardaway, Cal Dalton, Charles Thorson, Bob Givens, Chuck Jones, Friz Freleng, Robert McKimson, Frank Tashlin (que mais tarde dirigiria filmes do gênio do humor Jerry Lewis) e outros influenciaram as gerações de artistas de animação que vieram a seguir.

O ano de 1940 foi muito especial para a história da animação cinematográfica. Além do carismático Pernalonga (eleito o melhor personagem de desenhos animados de todos os tempos pela revista *TV Guide*), Pica-Pau e Tom & Jerry também estrearam nesse ano.

Criado por Walter Lantz e Ben Hardaway, produzido pelo estúdio de Lantz e distribuído pela Universal, Pica-Pau estrelou 193 curtas nos cinemas entre 1940 e 1972.

A dupla Tom & Jerry foi criada por William Hanna e Joseph Barbera, quando ambos trabalhavam nos estúdios de animação da Metro-Goldwyn-Mayer (eles só se constituiriam juridicamente como Estúdios Hanna-Barbera no ano de 1957). O primeiro curta com o gato e o rato chegou aos cinemas em fevereiro de 1940, sem a menção na tela do crédito de seus criadores, e ainda com o gato Tom sendo chamado de Jasper. O rato sequer tinha nome. De 1940 a 1957, foram produzidos 114 filmes de Tom & Jerry, que no período ganharam sete vezes o Oscar de Melhor Curta de Animação.

Mas tudo mudou com a crise dos grandes estúdios desencadeada a partir dos anos 50. A divisão de animação da MGM foi

CAPÍTULO DEZENOVE: O CINEMA DE ANIMAÇÃO

desativada em 1957. Havia várias reestilizações de Tom & Jerry para a televisão, feitas por diversos estúdios, mas sem o mesmo brilho dos episódios de cinema. Os direitos dos personagens atualmente são da Turner Broadcast Systems, que, por sua vez, é controlada pelo grupo Time Warner. A Walter Lantz Productions foi fechada em 1972, mas a popularidade do Pica-Pau manteve-se nas últimas décadas por meio de reprises e reformatações do personagem para a televisão. Um novo longa-metragem — *Pica-Pau: o Filme* — foi lançado nos cinemas em 2017, ainda pela Universal, que continua detentora de seus direitos autorais. E a Warner Bros. Cartoons foi desativada em 1969, retornando em 1980 como Warner Bros. Animation, direcionada a produtos televisivos para entretenimento doméstico. A corporação ainda é detentora dos direitos da Turma do Pernalonga.

# CAPÍTULO VINTE

## Premiações e Festivais

Embora fazer filmes não seja uma competição, os inúmeros festivais e premiações que permeiam o cinema têm o poder de criar discussões, indicar tendências e gerar muita mídia para a atividade. Nesse sentido, o Oscar, distribuído pela Academia de Artes e Ciências Cinematográficas de Los Angeles, transformou-se em sinônimo da própria palavra "prêmio". Sua primeira entrega ocorreu em 1929, relativa aos filmes norte-americanos estreados no país em 1927 e 1928, e possuía 12 categorias (atualmente já são 24).

A formatação do Oscar determina que uma academia escolha, entre as produções de seu próprio país estreadas dentro de determinado período, as melhores em várias categorias profissionais. Tal fórmula inspirou muitas outras premiações pelo mundo, como o mexicano Ariel (entregue desde 1947), o inglês BAFTA — sigla de British Academy of Film and Television Arts (desde 1948) —, o italiano Davi di Donatello (1956), o francês César (1976), o espanhol Goya (1987), o catalão Gaudí (2009), o canadense Golden Maple (2015), entre muitos outros.

CAPÍTULO VINTE: PREMIAÇÕES E FESTIVAIS

Praticamente todos os países produtores de cinema mantêm um prêmio anual dentro dessa formatação.

Há também premiações continentais como o EFA — European Film Awards —, que desde 1988 elege as melhores produções cinematográficas de todo o continente europeu; o AFA — Asian Film Awards —, que desde 2007 escolhe os melhores da Ásia; ou o Platino, no qual concorrem filmes ibero-americanos desde 2014.

Como sátira irônica a tantas premiações, desde 1980 também é entregue em Los Angeles o Golden Raspberry — conhecido como Framboesa de Ouro —, destinado aos piores filmes do ano em várias categorias. A brincadeira foi criada por estudantes da UCLA — University of California, Los Angeles —, em conjunto com veteranos da indústria do cinema, e atualmente tem repercussão mundial.

Em nosso país, o Grande Prêmio de Cinema Brasil teve sua primeira edição em 2000. Posteriormente, esse nome foi alterado em várias oportunidades, dependendo do patrocinador de cada ano, e em suas edições mais recentes optou-se pela denominação Grande Prêmio do Cinema Brasileiro, que contempla os melhores de cada categoria com o troféu Grande Otelo.

Independentemente de academias, várias categorias profissionais também fazem suas premiações. Nos EUA, por exemplo, são bastante prestigiados os prêmios DGA (do Directors Guild, a associação dos diretores, desde 1948), o WGA (do Writers Guild, associação dos roteiristas, desde 1949), o PGA (outorgado pelo Producers Guild of America, a associação dos produtores, desde 1990) e o SAG (do Screen Actors Guild, a associação dos atores, desde 1995), entre outros. Já os críticos de cinema ali são divididos em duas categorias: os jornalistas internacionais que atuam nos EUA, membros da Hollywood Foreign Press Association, atribuem, desde 1944, o prêmio Globo de Ouro, enquanto os demais críticos nacionais, membros da tradicional National Board of Review, escolhem seus preferidos desde 1929. Tudo isso sem contar as dezenas de associações de críticos estaduais dentro dos Estados Unidos, cada qual igualmente com sua premiação.

Há prêmios também outorgados por várias associações locais e nacionais de críticos estabelecidas em todo o mundo, muitas delas participantes da FIPRESCI — Fédération International de la Presse Cinématographe —, a federação internacional de críticos de cinema. No Brasil, a Abraccine — Associação Brasileira de Críticos de Cinema — premia seus melhores filmes desde 2011.

## O Cinema É uma Festa

A forma adotada pela FIPRESCI para premiar os filmes é bem diferente da formatação do Oscar e das demais premiações de caráter nacional. A Federação monta júris específicos em diversos festivais de cinema pelo mundo e escolhe seus preferidos dentro de cada evento.

Os festivais de cinema, inclusive, são outra importante fonte de premiação e funcionam de maneira bem diversa dos prêmios até aqui relacionados. Enquanto os prêmios de caráter nacional consideram todo o universo de filmes de seus respectivos países, estreados dentro de determinado período, os festivais trabalham com curadorias que escolhem poucos títulos de vários países que seriam, no entender de tais curadores, os mais representativos do ano. Forma-se, assim, uma programação desses selecionados

# CAPÍTULO VINTE: PREMIAÇÕES E FESTIVAIS

(a própria seleção, em si, já é considerada uma láurea) que será exibida por todo o período do evento e submetida a um júri que decidirá pelos prêmios.

Nessa formatação, o festival mais antigo do mundo ainda existente é o de Veneza, cuja primeira edição aconteceu em 1932. Seu cobiçado troféu, o Leão de Ouro, só foi introduzido no evento em 1949. Ao lado de Veneza, os festivais de Cannes (desde 1946, com o troféu Palma de Ouro introduzido em 1955) e de Berlim (que premia com o Urso de Ouro desde 1951) são considerados os mais importantes do mundo.

Porém, o festival de cinema mais antigo de que se tem registro aconteceu em 1898, em Monte Carlo. Nele, poderiam competir produções amadoras ou profissionais, desde que o tema fosse a própria cidade. Mas o evento não teve continuidade.

Estima-se que existam cerca de 3.000 festivais e mostras de cinema por ano em todo o mundo, tornando-se tarefa difícil destacá-los por ordem de importância. Entre os mais tradicionais e significativos, encontram-se o de Locarno (Suíça, desde 1946), Edimburgo (Escócia, 1947), Yorktown (Canadá, 1950), Melbourne (Austrália, 1951), Goa (Índia, 1952), San Sebastián (Espanha, 1953), Sidney (Austrália, 1954), Mar del Plata (Uruguai, 1954), Londres (Inglaterra, 1956), Valladolid (Espanha, 1956), Karachi (Paquistão, 1957), Moscou (Rússia, 1959), Tessalônica (Grécia, 1960), Cartagena (Colômbia, 1960), Viña del Mar (Chile, 1962), Nova York (EUA, 1962), Gijón (Espanha, 1963), Toronto (Canadá, 1976) e vários outros. Também é grande a quantidade de festivais que abordam temas segmentados, especializando-se em assuntos cinematográficos específicos. O Fantasporto (Portugal, desde 1982), por exemplo, é um dos mais conceituados eventos mundiais de filmes de terror, fantasia e ficção científica; o Sundance (EUA, 1978) é a grande vitrine do cinema independente, enquanto o Giffoni (Itália, 1971) é centralizado em infantis. Clermont-Ferrand (França, desde 1982) é referência mundial em curtas-metragens, Mardi-Gras (Austrália, 1978) é o grande evento cinematográfico da diversidade sexual, e o Panafricano de Ouagadougou (Burkina Faso, desde 1969), com exibições realizadas num estádio de futebol, é o maior do cinema africano e um dos maiores do mundo.

No início dos anos 2010, o Brasil chegou a ter mais de 200 festivais e mostras de cinema por ano, que atraíam cerca de 3 milhões de espectadores. Problemas econômicos reduziram esses números, mas o circuito de festivais ainda é um importante instrumento para minimizar os problemas de distribuição do cinema nacional.

Entre os eventos mais tradicionais do Brasil, destacam-se os festivais de Brasília (o mais antigo em atividade do país, iniciado em 1965), Gramado (1973), a Mostra Internacional de São Paulo e o Festival Guarnicê, do Maranhão, estes últimos em funcionamento ininterrupto desde 1977, e o Festival do Rio, que comemora 20 anos em 2018.

O Festival Internacional de Curtas-Metragens de São Paulo (desde 1990) e o festival de documentários É Tudo Verdade (1996) estão entre os principais eventos do mundo em suas categorias.

# Capítulo Vinte e Um

## Franquias, Continuações e Remakes

A bem-sucedida experiência da Nova Hollywood, interrompida pela ascensão ao poder de governos conservadores, o que, por sua vez, sinaliza com plateias igualmente pouco liberais, abriu caminho, a partir dos anos 1980, para um tipo de cinema primordialmente voltado ao sucesso financeiro a qualquer preço. Pensamento coerente para uma época de políticas econômicas impulsionadas pela filosofia neoliberal.

A extrema mercantilização da atividade cinematográfica pós--quebra dos grandes estúdios encontrou suas raízes em dois diretores/produtores que, mesmo sendo frutos da Nova Hollywood, lançaram as bases de um cinema fortemente voltado para o lucro, em proporções nunca experimentadas até então: Steven Spielberg e George Lucas.

Egresso da televisão, onde dirigia episódios de seriados para a Universal, Spielberg já havia chamado a atenção do público, da crítica e dos diretores do estúdio quando seu longa *Encurralado* (1971), originalmente criado para a TV, mostrou qualidades acima da média e acabou sendo lançado no cinema. Ao realizar

*Tubarão* (1975), o então jovem cineasta de 28 anos propôs à Universal que o filme fosse lançado simultaneamente em todo o território norte-americano, prática inexistente até aquele momento. A ideia foi aceita com grandes resultados: *Tubarão* rendeu, logo no primeiro final de semana, quase a totalidade de seus custos de produção (estimados em 8 milhões de dólares) e, em apenas cinco semanas, faturou 260 milhões somente nas bilheterias dos Estados Unidos. Somando-se os 210 milhões que arrecadaria no resto do mundo, o filme contabilizou 470 milhões de dólares de faturamento total e foi alçado ao primeiro lugar na lista das maiores bilheterias de todos os tempos.

A estratégia vencedora abalou as estruturas da indústria, que, a partir daquele momento, passou a desenvolver o conceito de blockbuster, ou seja, filmes grandiosos, de altos custos de produção, destinados a plateias numerosas, a serem distribuídos com pesadas campanhas publicitárias. Um sistema no qual o menor deslize torna-se fatal e enterra a carreira de uma obra em 48 horas, caso não funcione logo no final de semana de lançamento.

Enquanto Spielberg filmava *Tubarão*, ainda sem saber da revolução que provocaria, seu amigo George Lucas, formado em cinema na University of Southern California, já havia dirigido dois elogiados longas: a ficção científica *THX 1138* (1971) e o drama romântico adolescente existencial *Loucuras de Verão* (1973). Seu maior desejo, porém, era filmar uma saga de nove longas-metragens envolvendo reinos mágicos, robôs inteligentes, naves espaciais, seres fantásticos, cavaleiros e uma inesquecível princesa, tudo isso *há muito tempo, numa galáxia muito, muito distante*. Uma ideia totalmente na contramão daquela Nova Hollywood, que priorizava temas sociais, denúncias, polêmicas e custos mais viáveis.

CAPÍTULO VINTE UM: FRANQUIAS, CONTINUAÇÕES E REMAKES 169

Após tentar vender o projeto em vários estúdios, Lucas finalmente fechou negócio com a Fox, que aceitou viabilizar o primeiro longa e acenou com um contrato não muito vantajoso para seu criador. O cineasta concordou, mas pediu que os estúdios pagassem a ele 50% de eventuais lucros obtidos com produtos licenciados e direitos dos personagens criados para a saga, além de liberdade total de negociação para eventuais continuações. Sem antever o potencial envolvido, a Fox abriu mão dos direitos dos personagens e lançou *Guerra nas Estrelas*, em maio de 1977.

Apoiado por uma estratégia de divulgação específica para o público jovem iniciada com um ano de antecedência, o filme — de orçamento estimado em 11 milhões de dólares — faturou 307 milhões apenas no mercado norte-americano. O grande diferencial, porém, residiu no faturamento advindo do licenciamento de produtos, que rapidamente superou a casa do bilhão de dólares.

Aos 33 anos, George Lucas iniciou uma nova era no cinema norte-americano, na qual brinquedos, bonecos, camisetas, lancheiras, estojos, cadernos e as mais variadas bugigangas assumiram importância financeira maior que os próprios filmes, que são cada vez mais produzidos dentro de critérios muito mais mercadológicos do que artísticos.

Não por acaso, enquanto Reagan e Thatcher impulsionavam políticas bélicas e intervencionistas, o cinema oferecia um amplo leque de heróis truculentos, com destaque para Sylvester Stallone, Arnold Schwarzenegger, Jean-Claude van Damme, Dolph Lundgren e Chuck Norris. Os anos 1980 foram marcados por *Os Falcões da Noite* (1981), *Rambo — Programado para Matar* (1982), *Conan, o Bárbaro* (1982), *Conan, o Destruidor* (1984), *O Exterminador do Futuro* (1984), *Amanhecer Violento* (1984), *Comando para Matar* (1985), *Rambo II — A Missão*

(1985), *Jogo Bruto* (1986), *Retroceder Nunca, Render-se Jamais* (1986), *Stallone Cobra* (1986), *O Predador* (1987), *Robocop* — o *Policial do Futuro* (1987), *Falcão, o Campeão dos Campeões* (1987), *Inferno Vermelho* (1988), *Contato Mortal* (1988), *Condenação Brutal* (1989), *O Vingador do Futuro* (1990) e vários subprodutos do mesmo teor. O próprio personagem Rocky Balboa, iniciado em 1976 com *Rocky: um Lutador*, sofreu uma alteração nos anos 1980, tornando-se um vingador justiceiro.

Se, por um lado, os anos 1980 foram a época de resolver problemas com músculos e mísseis, por outro abriram-se linhas de aventuras, ficções científicas e comédias românticas que favoreceram o escapismo. Casos de *Blade Runner, o Caçador de Androides* (1982); *E.T., o Extraterrestre* (1982); de trilogias e franquias as mais diversas, como *Indiana Jones, Alien, De Volta para o Futuro*; e toda uma safra de filmes adolescentes que invariavelmente terminavam com as confusões do baile de formatura.

Dos anos 1990 em diante, e entrando no século 21, os estúdios assumiram a visão industrial/empresarial do cinema e cristalizaram a tendência das franquias, remakes e continuações, intensificada nos anos 1980. Dentro dos padrões do estilo blockbuster, era muito mais econômico propagandear filmes cujos protagonistas já eram familiares ao grande público do que investir na criação e divulgação de novos heróis. Se tais protagonistas eram velhos conhecidos de outros meios — como livros, seriados de TV e histórias em quadrinhos —, melhor ainda.

*Harry Potter*; *O Senhor dos Anéis*; *O Hobbit*; *X-Men*; *Piratas do Caribe*; *Sexta-Feira 13*; *A Hora do Pesadelo*; *Jogos Mortais*; *Sherlock Holmes*; *Jogos Vorazes*; *Godzilla*; *Esqueceram de Mim*; *Diário de um Banana*; os vários reboots de *Batman, Superman* e *Homem-Aranha*; *Velozes e Furiosos*; *Star Wars*; *Quarteto Fantástico*;

# CAPÍTULO VINTE UM: FRANQUIAS, CONTINUAÇÕES E REMAKES

*Hulk*; *Thor* e todos os tipos de super-heróis; *Jornada nas Estrelas*; *As Crônicas de Nárnia*; *Uma Noite no Museu*; *Matrix*; *Jurassic Park*; *Se Beber Não Case*; *Crepúsculo*; *Missão Impossível*; *Transformers*; *Os Caça-Fantasmas*; *Scooby-Doo*; *Garfield*; *SWAT*; *Baywatch*; *Agente 86*; *Starsky & Hutch*; *A Feiticeira*; versões live action de antigos clássicos animados (*A Bela e a Fera*, *Mogli*, *O Rei Leão*, *Malévola*); *Alvin e os Esquilos*; animações continuadas (*Carros*, *Shrek*, *Os Incríveis*, *Toy Story*, *Monstros S.A.*, *A Era do Gelo*)... a lista é tão longa que parece não ter fim. Mais do que nunca, em Hollywood, o medo de errar era maior que a vontade de acertar.

Renovando e reciclando personagens, a franquia *Star Wars* permanece em cartaz há mais de 40 anos

A revolução digital abriu possibilidades infinitas para a produção audiovisual, por intermédio de novas plataformas e formatos, video on demand, internet, canais de Youtube, e a possibilidade de consumir filmes a qualquer instante, de qualquer lugar, na palma da mão. Uma revolução que permanece em pleno processo e que se assemelha à euforia dos inventores do cinema, lá atrás, no final do século 19, quando mentes astutas e olhares perspicazes se encantaram, com o mesmo entusiasmo, com as primeiras imagens em movimento projetadas mudas e em preto e branco, em algum lugar de Paris.

Como sempre, a História é cíclica. A do cinema não poderia ser diferente.

# CAPÍTULO VINTE E DOIS

## Para Quem Não Tem Pressa

Como o próprio nome já diz, *A História do Cinema para Quem Tem Pressa* propõe uma abordagem histórica, rápida e objetiva sobre o tema. Usando uma linguagem cinematográfica, trata-se mais de uma visão panorâmica, um travelling, do que um estudo em close. Nesse sentido, é inevitável que eventos pontuais não sejam captados pela narrativa. Afinal, são mais de 120 anos de uma história que se desenvolve em todos os continentes, aglutinando artes, culturas e indústrias as mais diversas. Fica a sugestão do contato mais profundo com outros pontos aqui abordados (ou não) de passagem, como, por exemplo:

### Índia

Embora as produções cinematográficas norte-americanas dominem mercadologicamente as bilheterias do mundo, o maior produtor cinematográfico do planeta é a Índia. De acordo com a Film Federation of India, foram produzidos 1.986 longas-metragens no período de 12 meses entre abril de 2016 e março de 2017. O país também é o recordista mundial de vendas de ingressos, com 2,263 bilhões de entradas vendidas em 2016, que lotaram as 8.100 salas de exibição instaladas no país.

Com números tão superlativos, há décadas já consolidados, por que o cinema indiano é praticamente desconhecido no restante do mundo? A resposta está na diversidade. Os 1.986 filmes citados foram produzidos em nada menos que 43 idiomas e dialetos. Historicamente multicultural, o cinema da Índia é exibido apenas dentro do país, quando não dentro somente da própria província que o produziu. Os filmes, em sua maioria, apresentam enredos de muita simplicidade, quase sempre do gênero romântico-musical, não encontrando mercado para exportação.

Dança, música e romance marcam a maioria dos filmes produzidos na Índia

No circuito dos festivais internacionais, o cineasta indiano mais aclamado é Satyajit Ray. Com inúmeros prêmios e indicações conquistados em Cannes, Berlim, Veneza, Moscou e outros eventos importantes, Ray dirigiu clássicos como *A Canção da Estrada* (1955),

*O Invencível* (1956), *A Sala de Música* (1958), *A Grande Cidade* (1963), *A Esposa Solitária* (1964), *Trovão Distante* (1973) e vários outros de sua longa carreira, composta por 38 filmes entre 1955 e 1991.

A grande produção quantitativa da Índia rendeu à indústria cinematográfica do país o apelido de Bollywood, a Hollywood de Bombaim. O distrito responde por um terço da produção total do país.

## NIGÉRIA

Logo atrás da Índia, a Nigéria é o segundo maior produtor cinematográfico do planeta. Atribui-se o início da recente explosão do cinema nigeriano ao filme *Living in Bondage*, do estreante Chris Obi Rapu, gravado em vídeo doméstico em 1992, ao baixo custo de 12 mil dólares. Contando a história de um homem que mata a esposa e passa a praticar rituais satânicos, o filme foi lançado diretamente em VHS, vendendo mais de 1 milhão de fitas e sinalizando o grande potencial do mercado nigeriano (o país mais populoso da África, com quase 200 milhões de habitantes).

Tal sucesso gerou, durante os anos 1990, um boom de pequenos produtores, que passaram a realizar filmes em profusão, sempre dentro de uma receita que incluía baixo custo, rapidez nas filmagens, histórias populares e distribuição em vídeo.

Como consequência, na virada do milênio, a indústria cinematográfica nigeriana — batizada Nollywood — surpreendentemente ultrapassou os Estados Unidos e tornou-se a segunda maior do mundo em número de títulos produzidos: cerca de mil por ano. Contudo, a proliferação de filmes de pouca qualidade realizados por produtores não qualificados, a informalidade do mercado, a fragilidade da distribuição e a crescente pirataria logo iniciaram uma crise no setor. O mercado nigeriano reagiu com a profissionalização da produção (que passou a receber subsídios governamentais e investimentos privados), coproduções internacionais e a construção de mais e melhores salas de exibição, visando a camadas socioeconômicas mais elevadas.

Uma sequência de filmes bem-sucedidos recolocou a indústria nigeriana no caminho do sucesso comercial: o suspense *The Figurine* (2009), sobre a maldição de uma vestimenta mágica; o drama internacionalmente premiado *Ijé: The Journey* (2010), sobre uma jovem nigeriana acusada de assassinato nos Estados Unidos; o drama romântico *Meio Sol Amarelo* (2013), coproduzido com a Inglaterra; e a comédia romântica *The Wedding Party* (2016).

A informalidade de boa parte da indústria dificultou a divulgação de números precisos, mas, em 2014, o governo nigeriano informou cifras oficiais do setor: 1.844 filmes produzidos em 2013, gerando um faturamento total de 3,3 bilhões de dólares.

## CHINA

Com uma população de 1,4 bilhão de habitantes (2017), que aumenta em 19 mil pessoas/dia, a China é um mercado cobiçado por todas as indústrias cinematográficas do mundo. Os números mostram o porquê: o país fechou 2017 como o segundo maior vendedor de ingressos de cinema do planeta, faturando 8,6 bilhões de dólares, número inferior apenas aos 10,9 bilhões de dólares dos EUA. Em 2016, a China passou a ter a maior quantidade de salas de cinema do mundo, superando as 40.700 dos norte-americanos e passando das 44.000, já em 2017.

Mas o cinema chinês viveu um longo processo histórico até alcançar essas cifras. O país, que chegou a ter uma Era de Ouro cinematográfica sediada em Xanghai, viu, na década 1930,

## CAPÍTULO VINTE E DOIS: PARA QUEM NÃO TEM PRESSA

a indústria declinar com a invasão japonesa em 1937 e a consequente fuga de seus cineastas para Hong Kong. Com o final da Segunda Guerra Mundial, em 1945, os japoneses desocuparam a China, que, então, assistiu a um renascimento da sua produção. Tudo mudou quatro anos depois, quando a Revolução Popular levou Mao Tsé-tung ao poder, tornando comunista o país e mantendo o cinema sob controle estatal, o que incluiu a proibição da exibição de filmes estrangeiros. Tal tutela governamental se acentuou a partir de 1966, com a chamada Revolução Cultural, um programa do governo que ideologizou as artes. Com a morte de Mao, em 1976, o país passou a se abrir gradativamente para o Ocidente.

Dramas como *Ba Shan Ye Yu* e *Tian yun shan chuan qi*, ambos de 1980, permitem-se discutir criticamente o período da Revolução, alcançando boa repercussão de crítica e público. Em 1986, o setor cinematográfico saiu da alçada do Ministério da Cultura para integrar o recém-criado Ministério do Cinema, Rádio e Televisão. Com uma média de 40 longas anuais produzidos durante a década de 1980, uma nova geração de cineastas começou a se destacar nos festivais internacionais, principalmente Kaige Chen e Zhang Yimou. Chen ganhou dois prêmios em Locarno com *Terra Amarela* (1984), e conquistou o Ocidente com *Adeus, Minha Concubina* (1993), drama que levou a Palma de Ouro em Cannes, o prêmio de Melhor Filme Estrangeiro no Globo de Ouro e no BAFTA, duas indicações ao Oscar e cerca de 20 outros prêmios e indicações.

Yimou foi o vencedor do Urso de Ouro em Berlim com *Sorgo Vermelho* (1988), do Leão de Prata em Veneza e do BAFTA de Melhor Filme Estrangeiro com *Lanternas Vermelhas* (1991), de outros cinco prêmios em Veneza com *A História de Qiu Ju* (1992), de três prêmios em Cannes com *Tempo de Viver* (1994), e mais quatro premiações em Veneza com *Nenhum a Menos* (1999), encerrando o século como o cineasta chinês mais reconhecido internacionalmente, capaz de contar os mais singelos e emotivos dramas humanos recheados de poesia e sensibilidade.

*Adeus, Minha Concubina*, filme que levou a Palma de Ouro para a China

Nesse período, a China também descobriu o caminho das coproduções com Hong Kong e Taiwan, ampliando a distribuição e as possibilidades de seu cinema. Em 2000, *O Tigre e o Dragão*, coprodução entre China, Taiwan, Hong Kong e Estados Unidos, conquistou quase duas centenas de prêmios e indicações — incluindo quatro Oscars —, e tornou-se a maior bilheteria de um filme estrangeiro nos cinemas norte-americanos em todos os tempos, posto que ocupa até o momento (abril de 2018).

Os anos 2010 têm sido marcados por negociações entre os governos chinês e norte-americano a respeito da entrada de filmes estrangeiros no circuito exibidor da China. Para preservar o

CAPÍTULO VINTE E DOIS: PARA QUEM NÃO TEM PRESSA

mercado interno, até 2012 só era permitida a exibição de 20 longas estrangeiros por ano nos cinemas chineses. Pressões comerciais dos Estados Unidos elevaram esse número para 38, em 2016.

É crescente o número de filmes norte-americanos que dependem da fatia de faturamento obtida nas bilheterias chinesas para transformar em sucesso comercial o que, sem a China, poderia até ser um fracasso. Assim, produtores norte-americanos procuram com interesse crescente realizar coproduções cinematográficas com estúdios chineses, aceitando, inclusive, alterar seus filmes para que se encaixem com mais facilidade no gosto do público oriental. As participações de atores e atrizes de feições orientais em filmes norte-americanos, por exemplo, precisaram ser ampliadas, e não raramente as cópias exibidas na Ásia são diferentes das exibidas no Ocidente, com a edição garantindo mais tempo em cena aos astros orientais.

Analistas apontam 2019 como o ano em que a China será o maior mercado cinematográfico do mundo, ultrapassando os Estados Unidos.

## JAPÃO

Enquanto nos primeiros anos do século 20 franceses e norte-americanos disputaram a hegemonia do mercado cinematográfico mundial, o Oriente buscou com dificuldade seu lugar ao sol nascente, isolado por largas distâncias e perdendo para o Ocidente a corrida do desenvolvimento tecnológico.

Ainda na era muda, o Japão demonstrou criatividade ao introduzir a figura do *benshi*, um tipo de ator que reproduz, ao vivo, as falas e as vozes de todos os personagens do filme, ao mesmo tempo que narra a história para a plateia.

O país conheceu, em 1913, sua primeira grande produção: *Chûshigura*, de Shôzô Makino, que transformou Matsunosuke Onoe em um dos primeiros astros do cinema japonês. Peça teatral de grande repercussão em seu país, *Chûshigura* relata a história, inúmeras vezes adaptada para o cinema, da saga dos 47 Ronins.

O desenvolvimento do cinema japonês, contudo, foi interrompido em 1923, quando um dos maiores terremotos da história do país matou cerca de 140 mil pessoas e desabrigou quase 2 milhões. Menos de dez anos depois, outro duro golpe. Este, de Estado: em 1932, militares assassinaram o Primeiro-Ministro Inukai Tsuyoshi, dando início a uma política expansionista que colocou o país em guerra com a China, a partir de 1937. As salas de cinema, então controladas pelos militares, passaram a exibir apenas filmes educacionais e de propaganda de guerra, produzidos em estúdios sob intervenção. A situação se agravou a partir de 1939, com o início da Segunda Guerra Mundial, e assumiu ares de hecatombe em 1945, com as bombas atômicas de Hiroshima e Nagasaki.

Devastado e ocupado pelo exército norte-americano, o Japão foi obrigado a submeter seus filmes à censura norte-americana entre 1945 e 1950, além de sofrer a perda irreparável de ver destruídos, pelo comando aliado do General MacArthur, cerca de metade dos aproximadamente 600 filmes que produzira durante a Segunda Guerra Mundial. A produção de longas-metragens japoneses, que superava os 500 filmes anuais antes do início do conflito, caiu para apenas 66 títulos em 1945.

Mesmo com tantas turbulências, o Japão conseguiu desenvolver uma produção audiovisual consistente e de qualidade, dentro de uma cinematografia que se notabilizou por seus grandes mestres diretores.

Entre eles, Kenji Mizoguchi se destacou como um cineasta de notável sensibilidade na abordagem do universo feminino. *As Irmãs*

CAPÍTULO VINTE E DOIS: PARA QUEM NÃO TEM PRESSA 181

*de Gion* (1936), sobre as gueixas de Kyoto; *A Vitória das Mulheres* (1946), sobre o mercado de trabalho feminino; *Mulheres da Noite* (1948), abordando a prostituição; e o premiado clássico *Contos da Lua Vaga* (1953) são alguns dos destaques de uma extensa obra que soma quase uma centena de títulos por ele dirigidos entre 1923 e 1956.

Também com uma vasta obra de 49 longas dirigidos entre 1927 e 1962, Yasujirô Ozu se destacou como um dos grandes mestres do cinema japonês ao realizar filmes que se tornaram clássicos, como *Também Fomos Felizes* (1951), *O Sabor do Chá Verde sobre o Arroz* (1952), *Era uma Vez em Tóquio* (1953), *Ervas Flutuantes* (1959), *Bom Dia* (1959) e *Dia de Outono* (1960). Utilizando o chamado "plano tatame" (enquadramento com câmera baixa, quase ao nível do chão, buscando o ponto de vista da vida tradicional japonesa), Ozu se tornou o grande cronista cinematográfico do cotidiano simples e poético de seu país.

Dificilmente, porém, os filmes produzidos no Japão conseguiam distribuição eficiente fora do continente asiático. Coube a Akira Kurosawa romper essa barreira. Estreando na direção cinematográfica em plena Segunda Guerra Mundial (com *A Saga do Judô*, de 1943), Kurosawa colocou o Japão no mapa internacional do cinema com *Rashomon* (1950), longa que narra uma tragédia sob diferentes pontos de vista, explorando as variadas facetas de uma suposta verdade. O filme ganhou o Leão de Ouro no Festival de Veneza e um Oscar especial como a melhor produção estrangeira lançada nos EUA naquele ano (a categoria de Filme Estrangeiro só seria oficializada em 1957). Seja através de filmes sobre a vida contemporânea, sobre o Japão feudal, ou adaptando *Hamlet* e Dostoievski, a carreira do cineasta decolou e se consolidou com *O Idiota* (1951), *Os Sete Samurais* (1954), *Trono Manchado de Sangue* (1957), *Yojimbo* (1961), *Sanjuro* (1962) e vários outros, ainda que Kurosawa seja criticado em seu próprio país, que o considera "ocidental demais". Com dificuldades de financiamento no Japão, coproduziu *Dersu Uzala* (1975) com a então União Soviética, *Kagemusha, a Sombra de um Samurai* (1980) com os Estados Unidos, e *Ran* (1985) com a França, até ser apadrinhado por Martin Scorsese e Steven Spielberg, com quem realizou *Sonhos* (1990). Autor de quase 80 roteiros e diretor de mais de 30 filmes, Kurosawa faleceu em 1998, e é considerado o último dos grandes mestres do cinema clássico. Parceiro de Kurosawa em 16 longas, o ator Toshiro Mifune se tornou o primeiro astro do cinema japonês, embora nascido na China, a fazer sucesso no Ocidente.

Além dos já citados, a lista de importantes cineastas nipônicos inclui vários nomes, entre eles o pioneiro Hiroshi Shimizu (diretor de mais de 160 curtas e longas entre 1924 e 1959), Kon Ichikawa (premiado nos principais festivais do mundo, dirigiu cerca de 80 longas entre 1946 e 2008), Ishirô Honda (diretor do *Godzilla* original, de 1954, e de várias ficções científicas e aventuras), *Nagisa Ôshima* (de *O Enforcamento*, 1968; *O Império dos Sentidos*, 1976; *Furyo: Em Nome da Honra*, 1983), Yôji Yamada (diretor da série *É Triste Ser Homem*, composta por 48 longas para cinema entre 1969 e 1995), Hayao Miyazaki (das animações *Princesa Mononoke*, 1997; *A Viagem de Chihiro*, 2001; *Vidas ao Vento*, 2013), Hirokazu Koreeda (*Ninguém Pode Saber*, 2004; *O Que Eu Mais Desejo*, 2011; *Nossa Irmã Mais Nova*, 2015).

Ratificando a sempre surpreendente capacidade de recuperação e reconstrução da cultura japonesa, nos anos 2010 o cinema daquele país, que continuou acumulando importantes premiações internacionais, produziu uma média de 550 longas-metragens anuais (número similar ao dos Estados Unidos), manteve em funcionamento cerca de 3.500 salas de exibição e esteve entre os dez maiores mercados cinematográficos do mundo em número de ingressos vendidos.

# CAPÍTULO VINTE E DOIS: PARA QUEM NÃO TEM PRESSA

Pôster original de *Rashomon*, filme que abriu as portas do Ocidente para o cinema japonês

## Irã

Embora o cinema iraniano tenha ficado mais conhecido no Ocidente a partir dos anos 1990, o país chegou a produzir filmes de forma consistente em épocas anteriores. No período entre 1950 e 1970, por exemplo, a produção iraniana chegou à cifra de 50 longas a cada ano, e a capital, Teerã, sediava um importante festival internacional.

Parte dessa solidez cinematográfica foi creditada à criação, em 1965, do Kanun, um código de atividades de fomento cultural criado pelo Instituto para o Desenvolvimento Intelectual de Jovens e Crianças, órgão governamental comandado por Farah Diba, esposa do então Xá Reza Pahlevi. Abbas Kiarostami, que depois seria um dos mais importantes cineastas do país, atuava diretamente nesse instituto.

A revolução de 1979 alterou radicalmente o país, que passou de uma monarquia autocrática comandada por um xá para uma república teocrática liderada por um aiatolá e apoiada por forte censura. Mas, felizmente para o cinema, o Kanun permaneceu e, a partir do final dos anos 1980, passou a render frutos importantes à cinematografia iraniana, mesmo sob a ditadura religiosa vigente no país.

Os cineastas se empenharam em realizar filmes mais realistas, capazes de abordar problemas sociais com poesia e simplicidade narrativa, ao mesmo tempo que utilizaram metáforas e simbologias para escapar da censura. Um tipo de cinema muitas vezes comparado à rusticidade poética do Neorrealismo Italiano. São dessa fase *Onde Fica a Casa do Meu Amigo?* (1987) e *Close Up* (1990), ambos de Kiarostami; *O Jarro* (1992), de Ebrahim Forouzesh; *O Balão Branco* (1995), de Jafar Panahi, vencedor da Câmera de Ouro no Festival de Cannes e eleito o melhor filme estrangeiro pelos críticos de Nova York; e *Gabbeh* (1996), de Mohsen Makhmalbaf.

*Onde Fica a Casa do Meu Amigo?*, neorrealismo revisitado

Em 1997, duas vitórias marcantes do cinema iraniano no exterior: *Gosto de Cereja*, de Kiarostami, ganhou a Palma de Ouro em Cannes; e *Filhos do Paraíso*, de Majid Majid, foi indicado ao Oscar de produção estrangeira.

Também se destacaram *O Silêncio* (de Mohsen Makhmalbaf, 1998), *A Maçã* (Samira Makhmalbaf, 1998), *O Círculo* (Jafar Panahi, 2000), *Tartarugas Podem Voar* (Bahman Ghobadi, 2004), *Isto Não É um Filme* (Jafar Panahi, 2011) e vários outros.

Já mais sintonizado com o estilo ocidental e abandonando a aridez narrativa de seus antecessores, Asghar Farhadi ganhou duas vezes o Oscar de Filme Estrangeiro com *A Separação* (2011) e *O Apartamento* (2016). Se a importância de tais vitórias ajuda a coroar o sucesso da cinematografia iraniana junto ao mercado internacional, por outro lado sinalizam uma diluição da estética que encantou o mundo nos anos 1990, agora com mais concessões comerciais aos padrões convencionais.

## Dinamarca e o Dogma 95

Em 1995, os cineastas dinamarqueses Thomas Vinterberg e Lars von Trier propuseram uma forma supostamente diferenciada de se fazer cinema, com vistas a combater primordialmente a artificialidade dos filmes comerciais. De acordo com o manifesto, batizado de Dogma, os filmes deveriam ser o mais realista possível, sem a utilização de cenografia ou trilha sonora, com a câmera sempre operada na mão, sem iluminação especial, sempre em cores, sendo proibida a utilização de efeitos e filtros. Também foram vetados deslocamentos temporais ou geográficos, bem como a menção do crédito do diretor. Quem se propusesse a realizar seus longas dentro desses parâmetros poderia receber um certificado denominado Dogma 95, a ser expedido pelos criadores do movimento.

A proposta teve enorme repercussão na mídia e acabou provocando bastante polêmica, mas logo foi identificada como uma jogada promocional sem grandes consequências, e poucos filmes — menos de vinte — foram produzidos dentro desse conceito. Entre os mais conhecidos estão *Os Idiotas* e *Festa de Família*, ambos de 1998, e *Italiano para Principiantes* (2000). De qualquer maneira, Thomas Vinterberg e Lars von Trier, ainda que rapidamente tenham abandonado as próprias ideias que lançaram, obtiveram grande popularidade e tornaram-se cineastas dos mais midiáticos.

## Coreia do Sul

Historicamente direcionado e censurado por diversos governos autoritários em variadas fases politicamente conturbadas do país, o cinema da Coreia do Sul começou a se fortalecer nos anos 1990,

CAPÍTULO VINTE E DOIS: PARA QUEM NÃO TEM PRESSA

quando passou a ser menos submetido às ideologias governamentais. Já em 1988, o presidente Roh Tae-woo iniciou uma eliminação gradual da censura, o que fomentou filmes com maior diversidade temática e, consequentemente, maior interesse do público. Em 1999, o suspense político *Shiri — Missão Terrorista* tornou-se o primeiro filme sul-coreano a vender mais de 2 milhões de ingressos em Seul, superando as cifras de *Titanic* (1997), o grande blockbuster do período. Os recordes de *Shiri* foram sucessivamente quebrados em 2000 pelo thriller de ação *Zona de Risco* e, em 2001, pela comédia romântica *Ironias do Amor* (que superou *O Senhor dos Anéis*), sedimentando a força do cinema sul-coreano.

O sucesso comercial dos filmes dentro do próprio mercado e o consequente fortalecimento da indústria cinematográfica doméstica logo se transformaram em reconhecimento mundial. Não apenas produtores estrangeiros começaram a comprar direitos de filmes sul-coreanos para refilmagens, como importantes longas do país ganharam visibilidade nos grandes festivais internacionais. *Oasiseu* (2002) venceu quatro prêmios em Veneza, *Oldboy* (2003) levou o Grande Prêmio do Júri em Cannes, e o diretor Ki-duk Kim se destacou com quatro premiações em Locarno por *Primavera, Verão, Outono, Inverno... e Primavera* (2003), melhor direção em Berlim por *Samaritana* (2004), mais quatro prêmios em Veneza por *Casa Vazia* (2004) e outros quatro no mesmo festival por *Pietà* (2012), incluindo o Leão de Ouro.

A produção coreana se destacou por seus temas vigorosos, fortes doses de violência aliadas a uma marcante sensibilidade e, sobretudo, pela forma como seus filmes não se prenderam aos gêneros tradicionais, misturando criativamente terror, drama, comédia, aventura ou fantasia num mesmo longa.

Entre vários sucessos recentes, destacaram-se, além dos já citados, *Mr. Vingança* (2002) e *Lady Vingança* (2005), ambos de Chan-wook Park; *O Hospedeiro* (Joon-ho Bong, 2006), *Os Invencíveis* (Jee-woon Kim, 2008), *Mother — A Busca pela Verdade* (Joon-ho Bong, 2009), *O Homem de Lugar Nenhum* (Jeong-beom Lee, 2010), *Eu Vi o Diabo* (Jee-woon Kim, 2010), *Nova Ordem* (Hoon-jung Park, 2013), *A Era da Escuridão* (Jee-woon Kim, 2016), *Certo Agora, Errado Antes* (Sang-soo Hong, 2015), *O Lamento* (Hong-jin Na, 2016), *Invasão Zumbi* (Sang-ho Yeon, 2016), *A Criada* (Chan-wook Park, 2017), *Na Praia à Noite Sozinha* (Sang-soo Hong, 2017) e *The Prison* (Hyeon Na, 2017).

*Oldboy*, vencedor do Grand Prix do Festival de Cannes

## Retomada Brasileira

Dependente das oscilações da economia e atrelado a políticas públicas hesitantes, o cinema brasileiro nunca conseguiu se

CAPÍTULO VINTE E DOIS: PARA QUEM NÃO TEM PRESSA

estabelecer como uma indústria forte. Períodos de alta e de baixa alternaram-se em sua história desde a fase muda, mas o início dos anos 1990 são sempre lembrados como o momento mais crítico do nosso cinema.

Um dos primeiros atos do então recém-empossado Presidente Fernando Collor, em março de 1990, foi extinguir a Embrafilme e o Concine, os órgãos estatais que administravam a atividade. Da noite para o dia, todos os mecanismos governamentais de produção, distribuição e exibição de filmes brasileiros foram descontinuados, sem que nada fosse proposto em seus lugares. Em clima de pânico, a atividade cinematográfica no país estagnou-se a ponto de, em 1992, o Festival de Gramado tornar-se internacional por falta de filmes nacionais inscritos. Em dezembro do mesmo ano, com a saída de Collor da presidência, institui-se, tanto na esfera federal, como nas estaduais e municipais, um intenso processo de criação de leis e mecanismos de incentivo à cultura. O filme *Carlota Joaquina: Princesa do Brazil* (1995), de Carla Camurati, iniciou o período batizado de Retomada do Cinema Brasileiro. Levando mais de um milhão de pessoas às bilheterias e ironizando a própria história do país, o longa abriu caminho para uma série de produções que conquistaram público e prêmios internacionais. *O Quatrilho* (Fábio Barreto, 1995) obteve uma indicação ao Oscar de Filme Estrangeiro, feito que o cinema brasileiro não conseguia desde 1962 com *O Pagador de Promessas*. *Central do Brasil* (Walter Salles, 1998) não apenas recebeu duas indicações ao Oscar (Melhor Filme Estrangeiro e Melhor Atriz para Fernanda Montenegro), como também conquistou o Leão de Ouro e o troféu de Melhor Atriz em Berlim, além do BAFTA e do Globo de Ouro de Filme Estrangeiro, mais dezenas de outras premiações pelo mundo; *Cidade de Deus* (Fernando Meirelles, 2002) foi indicado a quatro categorias no Oscar e recebeu mais de uma centena de premiações e indicações em eventos internacionais, enquanto *Tropa de Elite* (José Padilha, 2007) venceu outro Leão de Ouro para o Brasil.

*O Que É Isso, Companheiro?* (1997), *Baile Perfumado* (1997), *Bicho de Sete Cabeças* (2000), *Lavoura Arcaica* (2001), *Abril Despedaçado* (2001), *Amarelo Manga* (2002), *Carandiru* (2003), *2 Filhos de Francisco: A História de Zezé de Camargo e Luciano* (2005) e vários outros estão entre os títulos mais importantes da Retomada, que reaproximou o cinema brasileiro de seu público e contribuiu para a quebra, pelo menos parcial, do preconceito que parte da população nutria contra a produção audiovisual doméstica.

Uma safra quantitativa e qualitativamente notável de centenas de documentários sobre os mais variados temas (política, biografia, musical, história, denúncia etc.) também se destacou na Retomada, ampliando o mercado de trabalho no setor e conquistando mais espaço e visibilidade para o produto brasileiro.

Passada a euforia do momento, nos anos 2010 o cinema brasileiro voltou a sentir seus crônicos e históricos problemas de exibição, que incluíram número reduzido de salas (3.220), má distribuição (92% dos municípios brasileiros não possuem sequer uma sala de cinema), inabilidade no combate à pirataria, alto custo do ingresso e domínio indiscriminado do produto estrangeiro sobre o conteúdo nacional. A produção atingiu números expressivos, variando em torno de uma centena de longas brasileiros exibidos a cada ano no circuito nacional, mas, para cada longa exibido, há outros dois que jamais chegarão aos cinemas, controlados, em sua maioria, por redes estrangeiras.

A cada ano, pouco mais de meia dúzia de filmes brasileiros consegue superar a marca de um milhão de espectadores (geralmente comédias), enquanto a maioria atrai um público reduzido. O país, infelizmente, também não tem frequentado as grandes premiações internacionais.

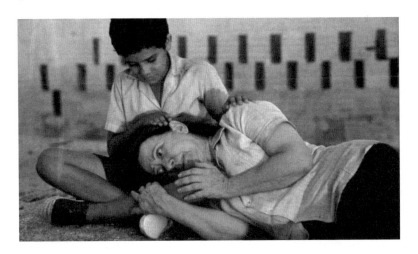

*Central do Brasil*, um dos maiores sucessos da Retomada

Os dados mais recentes informam que, em 2017, foram lançados 158 longas brasileiros no circuito exibidor. Embora o número seja dos mais expressivos — recorde dos últimos 20 anos —, a participação do filme nacional nas bilheterias do país caiu, nesse mesmo ano, para 9,6%, a menor nos últimos 10 anos. Também em 2017 foram 17,4 milhões de ingressos vendidos para o produto brasileiro, pouco mais da metade de 2016 (30,4 milhões). Dos 20 filmes de maior bilheteria no Brasil, em 2017, apenas um foi brasileiro: *Minha Mãe É uma Peça 2: o Filme*, com 5,2 milhões de ingressos. As distribuidoras estrangeiras foram responsáveis por cerca de 80% da renda bruta do mercado brasileiro, lançando em torno de 20% do número de títulos.

Ou seja, o cinema brasileiro permanece refém do estrangeiro, dentro do seu próprio território.

\* \* \*

*Todos esses assuntos, e muitos outros, não cabem em um único livro. Talvez nem mesmo caibam em uma enciclopédia. Mas são fascinantes para o conhecimento do Homem e do seu Tempo. Com ou sem pressa... AÇÃO!*

# FONTES E REFERÊNCIAS BIBLIOGRÁFICAS

ALBERA, F. *Eisenstein e o construtivismo russo*. São Paulo: Cosac & Naify, 2002.

ALLEN, D. *The World of Film and Filmmakers*. Los Angeles: Crown, 1979.

ALLEN, R. "Vitascope/Cinematographe: Initial Patterns of American Film Industrial Practice". *In:* FELL, J.L. (org.). *Film Before Griffith*. Berkeley: University of California Press, 1984.

BERNARDET, J.-C. *Brasil em tempo de cinema*. 3ª ed. Rio de Janeiro: Paz e Terra, 1978.

_____. *Cineastas e imagens do povo*. São Paulo: Companhia das Letras, 2003.

BISKIND, P. *Como a geração sexo-drogas-e-rock'n'roll salvou Hollywood*. Rio de Janeiro: Intrínseca, 2009.

BORDWELL, D. *El cine de Eisenstein*. Barcelona/Buenos Aires/Cidade do México: Paidós, 1999.

_____. e THOMPSON, K. *Film History: An Introduction*. Nova York: University of Wisconsin/McGraw-Hill, 1994.

BRIONY, F. *Realismo, racionalismo, surrealismo: a arte no entre-guerras*. São Paulo: Cosac & Naify, 1998.

BRUNETTA, G.P. *Storia del cinema italiano dal 1945 agli anni ottanta*. Roma: Riuniti, 1982.

CAMERON, Í. (org.). *The Movie Book of Film Noir*. Londres: Studio Vista.

CARDINAL, R. *O expressionismo*. Rio de Janeiro: Jorge Zahar, 1988.

CHAPLIN, C. *Minha vida*. Rio de Janeiro: José Olympio, 1989.

CORRIGAN, T. "Film and the Culture of Cult". *In: A Cinema Without Walls: Movies and Culture after Vietnam*. Londres: Routledge, 1991.

COSTA, F.C. *O primeiro cinema: espetáculo, narração, domesticação*. São Paulo: Azougue, 2005.

DENVIR, B. *El fauvismo y el expresionismo.* Barcelona: Labor, 1977.

EISNER, L. *A tela demoníaca: as influências de Max Reinhardt e do expressionismo.* São Paulo: Paz e Terra, 1985.

ELENA, A. *Los cines periféricos: África, Oriente Medio, India.* Barcelona: Paidós, 1999.

FABRIS, M. *O neo-realismo cinematográfico italiano: uma leitura.* São Paulo: Edusp/Fapesp, 1996.

GAY, P. *A cultura de Weimar.* Rio de Janeiro: Paz e Terra, 1978.

GOMES DE MATTOS, A.C. *O outro lado da noite: filme noir.* Rio de Janeiro: Rocco, 2000.

HENNEBELLE, G. *Os cinemas nacionais contra Hollywood.* Rio de Janeiro: Paz e Terra, 1978.

HIRSCH, F. *The Dark Side of the Screen: Film Noir.* Nova York: A Da Capo, 1983.

KAPLAN, E.A. (org.). *Women in Film Noir.* Londres: BFI, 2008.

KATZ, E. *The Film Encyclopedia.* Londres: MacMillan, 1979.

KRACAUER, S. *De Caligari a Hitler: uma história psicológica do cinema alemão.* Rio de Janeiro: Jorge Zahar, 1988.

KRAMER, P. "Post-classical Hollywood". *In:* HILL, J. e GIBSON, P.C. (orgs.). *American Cinema and Hollywood: Critical Approaches.* Oxford: Oxford University Press, 2000.

LEYDA, J. *Before Hollywood: Turn of the Century Film from American Archives.* Los Angeles: Hudson Hills, 1987.

LLOYD, A. e ROBINSON, D. *Movies of the Silent Years.* Nova York: Orbi, 1980.

MALTIN, L. *Of Mice and Magic.* Los Angeles: Lavishly, 1994.

MASCARELLO, F. (org.). *História do cinema mundial.* Campinas: Papirus, 2006.

MÉNDEZ-LEITE, F. *El cine, su técnica y su historia.* Barcelona: Sopena, 1984.

MICHELSON, A. "O homem da câmera: de mágico a epistemólogo". *Revista Cine-Olho,* 8/9, pp. 12-32, 1979.

MULLER, E. *Dark City: The Lost World of Film Noir.* Nova York: St. Martin's Press, 1998.

FONTES E REFERÊNCIAS BIBLIOGRÁFICAS

NAZÁRIO, L. *As sombras móveis: atualidade do cinema mudo*. Belo Horizonte: UFMG, 1999.

NEALE, S. *Genre and Hollywood*. Londres: Routledge, 1999.

RAMOS, F. *História do cinema brasileiro*. São Paulo: Art, 1987.

ROBERTSON, Patrick. The Guinness Book of Movie: Facts & Feats. Londres: Guinness, 1988.

ROBINSON, D. *O gabinete do dr. Caligari*. Rio de Janeiro: Rocco, 2000.

ROCHA, G. *Revolução no Cinema Novo*. Rio de Janeiro: Alhambra/ Embrafilme, 1981 (São Paulo: Cosac & Naify, 2004).

SABADIN, C. *Vocês ainda não ouviram nada – a barulhenta história do cinema mudo*. São Paulo: Summus, 2009.

SADOUL, G. *O cinema: sua arte, sua técnica, sua economia*. 2ª ed. revista e atualizada por Alex Viany. Rio de Janeiro: Casa do Estudante do Brasil, 1956.

_____. *História do cinema mundial*. São Paulo: Horizonte, 1983.

_____. *Dicionário de filmes*. Porto Alegre: L&PM, 1993.

VINCENDEAU, G. *The Encyclopedia of European Cinema*. Nova York: Facts on File, 1993.

SALT, B. *Film Style and Technology: History and Analysis*. 2ª ed. ampliada. Londres: Starword, 1992.

SARACENI, P.C. *Por dentro do Cinema Novo: minha viagem*. Rio de Janeiro: Nova Fronteira, 1993.

SCHATZ, T. "The New Hollywood". *In:* COLLINS, J.; RADNER, H. e COLLINS, A.P. (orgs.). *Film Theory Goes to the Movies*. Nova York: Routledge, 1993.

SILVER, A. e WARD, E. (orgs.). *The Film Noir Encyclopedia*. Woodstock: The Overlook Press, 1979.

SKLAR, R. *História social do cinema americano*. São Paulo: Cultrix, 1978.

TRUFFAUT, F. *Os filmes da minha vida*. Rio de Janeiro: Nova Fronteira, 1989.

TULARD, J. *Dicionário de cinema*. Porto Alegre: L&PM, 1996.

VERTOV, D. "Nascimento do cine-olho". *In:* XAVIER, I. (org.). *A experiência do cinema*. Rio de Janeiro: Graal/Brasiliense, 1983.

VIRMAUX, A. e VIRMAUX, O. *Dictionnaire du cinéma mondial*, 1994.

XAVIER, I. "Eisenstein: A construção do pensamento por imagens". *In:* NOVAES, A. *Artepensamento.* São Paulo: Companhia das Letras, 1994.

## PRINCIPAIS SITES

Buzz.bournemouth.ac.uk/2012/06/history-film-timeline

eh.net/encyclopedia/the-economic-history-of-the-international-film-industry

historycooperative.org/the-history-of-the-hollywood-movie-industry

microformguides.gale.com/Data/Download/3273000C.pdf

open.lib.umn.edu/mediaandculture/chapter/8-2-the-history-of-movies

www.filmsite.org/filmh.html/1910-filmhistory.html

www.imdb.com

www.inquiriesjournal.com/articles/560/the-technological-evolution-of-filmmaking-and-its-relation-to-quality-in-cinema

www.britannica.com/art/history-of-the-motion-picture

www.statista.com/statistics/187076/tickets-sold-at-the-north-american-box-office-since-2001

www.the-numbers.com/market

www.worldatlas.com/articles/film-industries-around-the-world

~ COLEÇÃO HISTÓRIA ~
PARA QUEM TEM PRESSA

# A HISTÓRIA DO MUNDO
## PARA QUEM TEM PRESSA
### MAIS DE 5 MIL ANOS DE HISTÓRIA RESUMIDOS EM 200 PÁGINAS!

# A HISTÓRIA DO BRASIL
## PARA QUEM TEM PRESSA
### DOS BASTIDORES DO DESCOBRIMENTO À CRISE DE 2015 EM 200 PÁGINAS!

# A HISTÓRIA DA MITOLOGIA PARA QUEM TEM PRESSA

DO OLHO DE HÓRUS AO MINOTAURO EM APENAS 200 PÁGINAS!

# A HISTÓRIA DA CIÊNCIA PARA QUEM TEM PRESSA

DE GALILEU A STEPHEN HAWKING EM APENAS 200 PÁGINAS!

# A HISTÓRIA DO SÉCULO 20
## PARA QUEM TEM PRESSA
TUDO SOBRE OS 100 ANOS QUE MUDARAM A HUMANIDADE EM 200 PÁGINAS!

# A história do CINEMA
## para quem tem pressa
DOS IRMÃOS LUMIÈRE AO SÉCULO 21 EM 200 PÁGINAS!